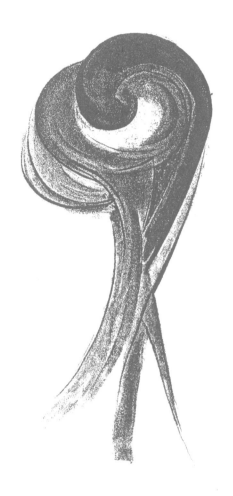

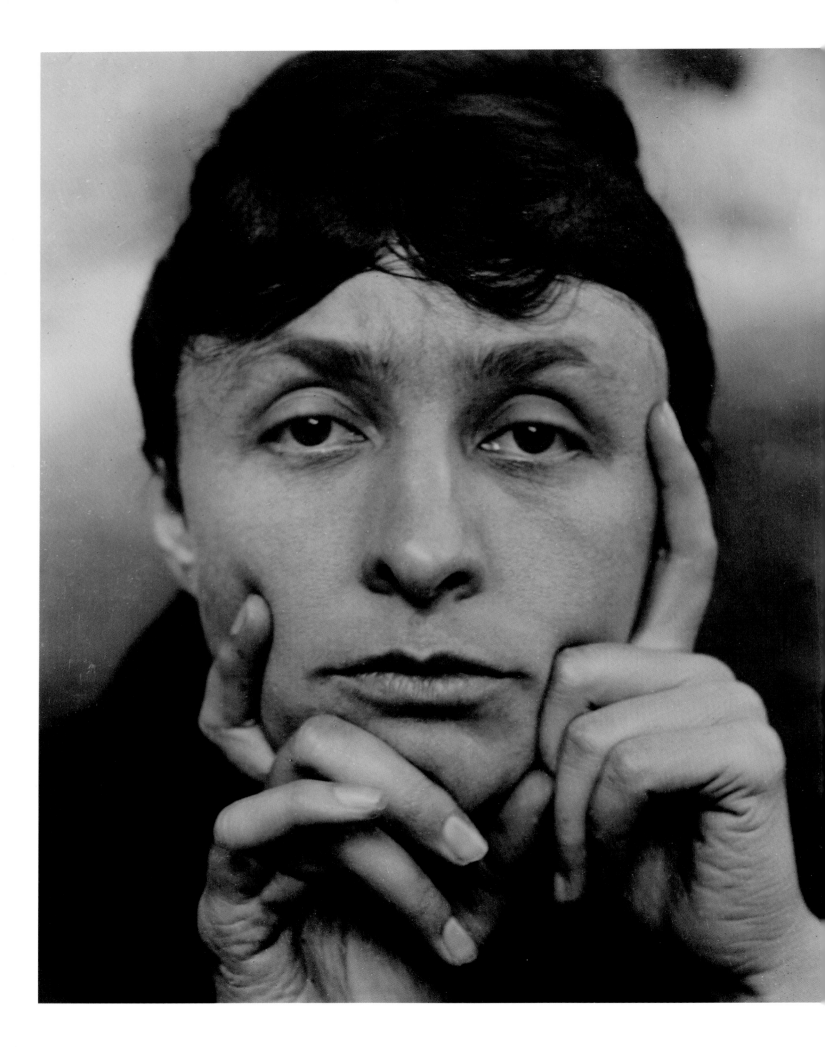

Britta Benke

GEORGIA O'KEEFFE

1887–1986

Fleurs du désert

Benedikt Taschen

**Ce livre a été imprimé sur du papier exempt
de chlore à 100% suivant la norme TCF.**

©1995 Benedikt Taschen Verlag GmbH
Hohenzollernring 53, D-50672 Köln
© 1994 Paintings by Georgia O'Keeffe otherwise uncredited in this book
are published with the permission of the Georgia O'Keeffe Foundation
insofar as such permission is required. Rights owned by the
Georgia O'Keeffe Foundation are reserved by the Foundation / VG Bild-Kunst, Bonn
Texte et rédaction: Britta Benke, Bonn
Légendes des illustrations: Rainer Metzger, Munich
Traduction française: Frédérique Daber, Cahors
Couverture: Angelika Muthesius, Cologne

Printed in Germany
ISBN 3-8228-9275-0
F

Table des matières

6
Inspiration et intuition

16
Autour d'Alfred Stieglitz

30
Des fleurs et des gratte-ciel

54
Visions du désert

72
Abiquiu: la porte du patio

82
L'immensité de l'espace

92
Georgia O'Keeffe – Vie et œuvre

Inspiration et intuition

La grande popularité de Georgia O'Keeffe (1887–1986), sa place prépondérante dans l'art américain sont dûs tout autant à l'œuvre qu'à la personnalité extraordinaire de cette femme dont la vie originale – elle s'était installée dans le désert du Nouveau-Mexique – était devenue légendaire. Sa carrière se déroule sur un demi-siècle, des débuts du modernisme américain aux tendances abstraites des années 50 et 60. Depuis un certain temps, l'Europe, à son tour, est conquise par sa peinture empreinte d'un chromatisme vigoureux et d'une sensualité voilée. Les sujets de ses toiles, fleurs énormes ou paysages du sud-ouest de l'Amérique, reflètent un profond sentiment de la nature.

Georgia O'Keeffe grandit dans le Middle West, au cœur du vaste paysage de Sun Prairie, dans le Wisconsin. Deuxième des sept enfants de Ida Totto O'Keeffe et de Francis Calyxtus O'Keeffe, elle vient au monde au mois de novembre 1887 et passe ses douze premières années à la ferme de ses parents. Le rythme de cette vie rustique, baignée du jaune des champs de blé, lui laissera une impression très forte dont, plus tard, son œuvre renverra l'écho. Distractions très attendues dans cet isolement: la musique, les histoires fabuleuses du Far West et les cours de peinture et de dessin pour lesquels on l'emmène, elle et sa sœur cadette, à Sun Prairie, la ville voisine. Dès l'âge de douze ans, Georgia sait qu'elle veut devenir une artiste. Lorsqu'elle a quinze ans, sa famille quitte le Wisconsin et va s'installer plus au sud, à Williamsburg, en Virginie. Georgia fréquente la pension pour jeunes filles de Chatham où, à l'emploi du temps scolaire, elle préfère souvent de longues promenades dans les montagnes et les forêts avoisinantes. Son professeur d'arts plastiques reconnaît le talent de Georgia et la soutient dans son désir de faire des études de peinture. A dix-sept ans, elle s'inscrit à l'Art Institute de Chicago. Les cours qui comptent le plus pour elle sont ceux de John Vanderpoel qui enseigne le dessin de nu et met l'accent sur le rôle de la ligne comme support structurant du corps humain. Mais les études de la jeune fille sont brutalement interrompues dès 1906 par un grave typhus qui met ses jours en danger et la force à se cloîtrer des mois durant chez elle, à Williamsburg. A l'automne 1907 elle se rend à New York pour continuer ses études à l'Art Students League, l'école d'art la plus renommée à l'époque.

O'Keeffe suit les cours de William Merrit Chase qui éveille chez ses élèves un intérêt pour les textures vivantes et les couleurs denses. Il encourage les étudiants à produire une toile par jour, privilégiant ainsi le processus de travail par rapport au résultat. A la League, cependant, comme à l'Art Institute de Chicago, l'enseignement se fait selon l'historisme propre à la tradition européenne et on pratique l'imitation des maî-

Alfred Stieglitz
Georgia O'Keeffe, 1918
Tirage au chlorure d'argent
Chicago (IL), Photograph courtesy of the Art Institute of Chicago, Alfred Stieglitz Collection, 1949.742

ILLUSTRATION PAGE 6:
Stries, orange et rouge, 1919
Orange and Red Streak
Huile sur toile, 68,6 x 58,4 cm
Philadelphie (PA), Philadelphia Museum of Art, Alfred Stieglitz Collection, Bequest of Georgia O'Keeffe

Lumière sur la plaine, III, 1917
Light Coming on the Plains III
Aquarelle, 30,2 x 22,5 cm
Fort Worth (TX), Amon Carter Museum

Lumière à l'horizon: dans cette aquarelle,
O'Keeffe traite d'un phénomène littéralement
quotidien, le lever du soleil; mais elle formule
aussi une métaphore typiquement romantique de
la puissance de la nature.

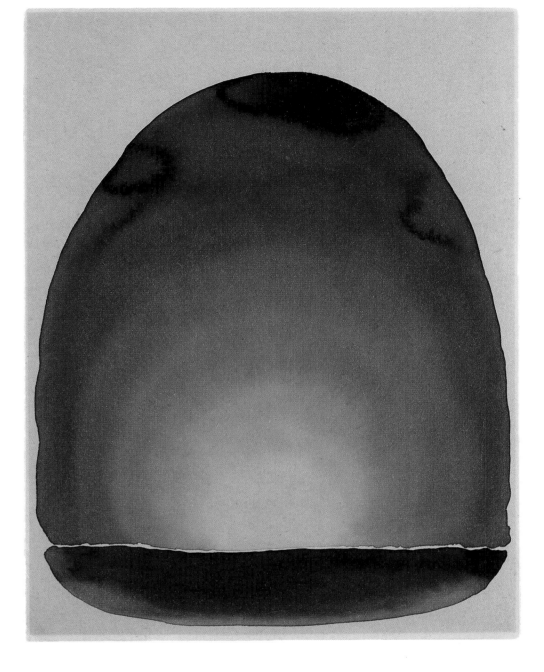

tres. La seule contrepartie au climat artistique conservateur de New York
est représentée par la petite galerie du photographe Alfred Stieglitz
(1864–1946) qui s'appelle tout simplement «291», en référence au numé-
ro qu'elle occupe sur la Fifth Avenue.
Longtemps avant l'exposition légendaire de 1913, l'«Armory Show», qui
fit connaître l'avant-garde américaine à un public plus vaste, Stieglitz y
avait exposé des artistes aussi révolutionnaires que Henri Matisse ou Paul
Cézanne. O'Keeffe et ses amis de la Students League se rendent à ces expositions. En 1908, ils y découvrent les dessins d'Auguste Rodin et, plus
tard, des œuvres de Matisse, de Braque, de Picasso et des peintres américains John Marin et Marsden Hartley. Bien que, cette même année, elle
ait obtenu, dans le cadre du cours de Chase, le prix de la meilleure nature
morte, O'Keeffe est découragée par le côté académique et conventionnel
de cet enseignement de pure imitation stylistique. Avec l'apparition de difficultés financières dans sa famille, elle s'arrête de peindre et entame une

9

carrière de dessinatrice publicitaire à Chicago, où elle crée des logos industriels et des affiches.

Ce n'est qu'en 1912, date à laquelle elle suit un cours d'été à l'université de Virginie, que la peinture redevient sa préoccupation première. Le professeur, Alon Bement, travaille selon les théories d'Arthur W. Dow, le directeur de la Faculty of Fine Arts au Teachers College de la Columbia University à New York. Appliquant des principes communs à l'art de l'Extrême-Orient et à l'Art nouveau, Dow avait élaboré un style tendant à l'abstraction et qui s'éloigne de la simple reproduction de la nature. Faisant sienne la recherche des artistes orientaux, il préconisait la forme claire, simplifiée, qui permet de faire apparaître l'essence des choses. Sa devise, parvenir à une harmonie dans l'image par une ordonnance rigoureuse des divers éléments: couleur, forme, ligne, volume et espace, parle tout particulièrement à O'Keeffe. Elle accepte la proposition de Bement d'enseigner avec lui pendant les mois d'été à l'université de Virginie. En même temps, elle étudie auprès de Dow lui-même à New York pendant deux semestres. Suivant le conseil de Bement, elle médite sur un écrit de Vassili Kandinsky, «Du spirituel dans l'art», qui vient d'être traduit en anglais. Selon l'auteur, couleurs et formes ne doivent plus être tributaires de la nature en tant que modèle mais des sentiments, du «monde intérieur» de l'artiste. Cette idée aura une influence durable sur la conception de la peinture de Georgia O'Keeffe. Parallèlement, elle s'intéresse aux pastels organiques de son contemporain, Arthur Dove (1880–1946), qui explore lui aussi le champ de l'expression abstraite. Elle trouve dans les œuvres de Dove l'équivalent à sa propre vision de l'art, traduction symbolique des expériences les plus intimes par la forme abstraite.

Stimulée par ce souffle artistique nouveau, Georgia, tandis qu'elle enseigne au Columbia College de Columbia en Caroline du sud, commence à trouver sa propre voie en tant qu'artiste avec quelques dessins au fusain. Voici comment elle décrit leur genèse: «... je me suis dit ‹j'ai en

Special n° 15, 1916
Special No. 15
Fusain sur papier, 48,3 x 62,2 cm
Abiquiu (NM), The Georgia O'Keeffe
Foundation

Les fusains réalisés sur le motif, comme celui-ci à Palo Duro Canyon, servirent à fixer des impressions que l'artiste transposa en une toile d'un style ampoulé qui va beaucoup plus loin que ces premières notations.

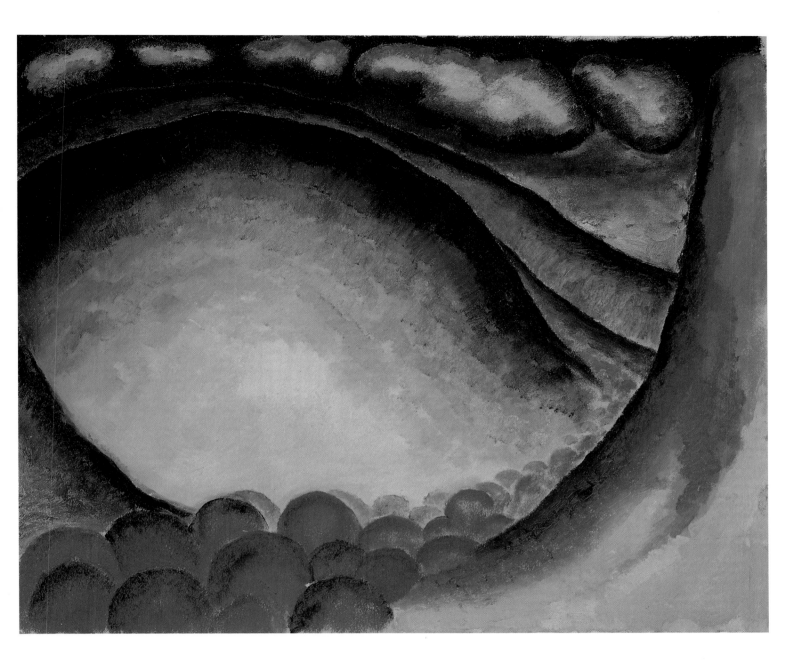

tête des choses qui ne ressemblent à rien de ce qu'on m'a appris, des formes et des idées qui me sont si personnelles, qui font si étroitement partie de ma façon d'être et de penser qu'il ne m'est pas venu à l'esprit de les jeter sur le papier.› J'ai décidé de recommencer à zéro, de me débarrasser de tout ce qu'on m'avait enseigné, de valoriser ma propre pensée. (…) Autour de moi, personne ne s'intéressait à ce que je faisais, personne ne faisait de commentaires. J'étais seule, absolument libre, j'étais inconnue, je travaillais pour moi et n'avais de comptes à rendre qu'à moi-même.»

Par l'intermédiaire d'une collègue du Teachers College à qui l'artiste les a envoyés, quelques-uns de ces dessins parviennent en 1916 à Alfred Stieglitz qui, très impressionné, les qualifie d'«images les plus pures, les plus belles et les plus honnêtes qui soient parvenues depuis longtemps au ‹291›».

Dans ces fusains, auxquels O'Keeffe donnera plus tard le nom de *Specials* en référence à la place particulière qu'ils ont dans sa peinture, des formes organiques et géométrico-ornementales occupent toute la surface

Special n° 21, 1916
Special No. 21
Huile sur carton, 34 x 41 cm
Santa Fé (NM), Museum of New Mexico

«Le peintre abstrait ne tire pas son inspiration de tel ou tel spectacle naturel mais de la nature dans sa totalité, de ses innombrables manifestations qui s'additionnent en lui et le conduisent à l'œuvre.»
VASSILI KANDINSKY, Du spirituel dans l'art, 1912

Canyon et corneilles, 1917
Canyon with Crows
Aquarelle, 22,9 x 30,5 cm
© Juan Hamilton

Contrairement à leurs homologues européens qui devaient, pour avoir droit à une part de vraie nature, se retirer en colonies, les artistes américains font cette démarche dans un esprit pionnier.

de la toile. Il est possible que les formes végétales, bourgeonnantes, que l'on trouve par exemple dans *Special n° 4* (ill. p. 8, en haut à droite) ou bien encore les arabesques, lui aient été inspirées par les motifs ornementaux de l'Art nouveau. L'équilibre entre lumière et ombre se réfère au style japonais «Notan», préconisé par Dow, dans lequel la combinaison de ces deux éléments est largement responsable de la composition de l'image. De même le côté rythmique, presque musical, de ces dessins évoque-t-il une théorie de Dow selon laquelle la musique, les arts plastiques, l'architecture et la poésie obéissent à un même principe de répétition rythmique. Pour la peinture, cette répétition est celle de lignes découlant les unes des autres pour créer une impression d'ensemble harmonieuse.

Stieglitz expose les dessins au «291» en 1916, en même temps que des œuvres de deux autres artistes, tout d'abord à l'insu de leur auteur. A la lumière des théories de Sigmund Freud et de son analyse de l'inconscient et de la sexualité, Stieglitz voit dans les lignes sinueuses des dessins au fusain une expression de l'intuition féminine.

A présent, O'Keeffe enseigne à Canyon, dans le Texas et Stieglitz lui envoie les numéros les plus récents du journal de sa galerie; l'artiste répond par de nouvelles aquarelles, au chromatisme brillant, résultat de ses randonnées dans les plaines texanes voisines. Des canyons, des jeux de lu-

ILLUSTRATION EN HAUT:
Mesa rouge, 1917
Red Mesa
Aquarelle, 22,9 x 30,5 cm
© Juan Hamilton

Anonyme
Georgia O'Keeffe au Estes Park, Colorado,
1917
Photographie
Abiquiu (NM), © The Georgia O'Keeffe
Foundation

Nu n° XII, 1917
Nude Series XII
Aquarelle, 30,5 x 45,7 cm
Abiquiu (NM), The Georgia O'Keeffe
Foundation

ILLUSTRATION PAGE 15:
Nu n° VIII, 1917
Nude Series VIII
Aquarelle, 45,7 x 34,3 cm
Abiquiu (NM), The Georgia O'Keeffe
Foundation

Dans ses aquarelles, Georgia O'Keeffe passe en
revue les exercices de dessin de nu faits à l'Art
Institute de Chicago. Ces études, pour lesquelles
une amie lui servit de modèle, font penser à Auguste Rodin que le peintre connaissait pour avoir
vu une exposition de lui au «291». Le premier,
Rodin a tenté de saisir le corps humain dans son
mouvement. Ici, c'est la superposition des
couches de couleur qui fait la dynamique et la vitalité de ces travaux.

mière fantastiques y sont rendus en larges aplats de couleurs, comme par
exemple dans *Mesa rouge* (ill. p. 13). Le langage y est spontané, à domi-
nante affective. Le lien avec l'observation naturelle est encore étroit et
l'utilisation prononcée et kaléidoscopique de la couleur traduit l'intensité
de l'expérience. Lorsqu'en 1917, Stieglitz consacre à Georgia O'Keeffe
toute une exposition, la dernière de la galerie dont l'immeuble doit être
détruit, au dernier moment, l'artiste décide de partir pour New York.
C'est là que Stieglitz la photographie pour la première fois et que nais-
sent les premiers portraits de l'artiste devant ses toiles. L'échange épisto-
laire avec le photographe se poursuivant et son soutien lui étant acquis,
elle se sent le courage de renoncer à l'enseignement pour se consacrer à
la peinture. En juin 1918 elle quitte définitivement le Texas et s'installe à
New York.
Alliant une intuition profonde à une grande capacité d'abstraction, Georgia O'Keeffe est alors à même de créer un répertoire de formes géométriques et organiques qui lui permet, tôt dans sa carrière, d'atteindre à une
excellence artistique. Dans les décennies suivantes, l'artiste puisera souvent dans ce vocabulaire formel très nuancé.

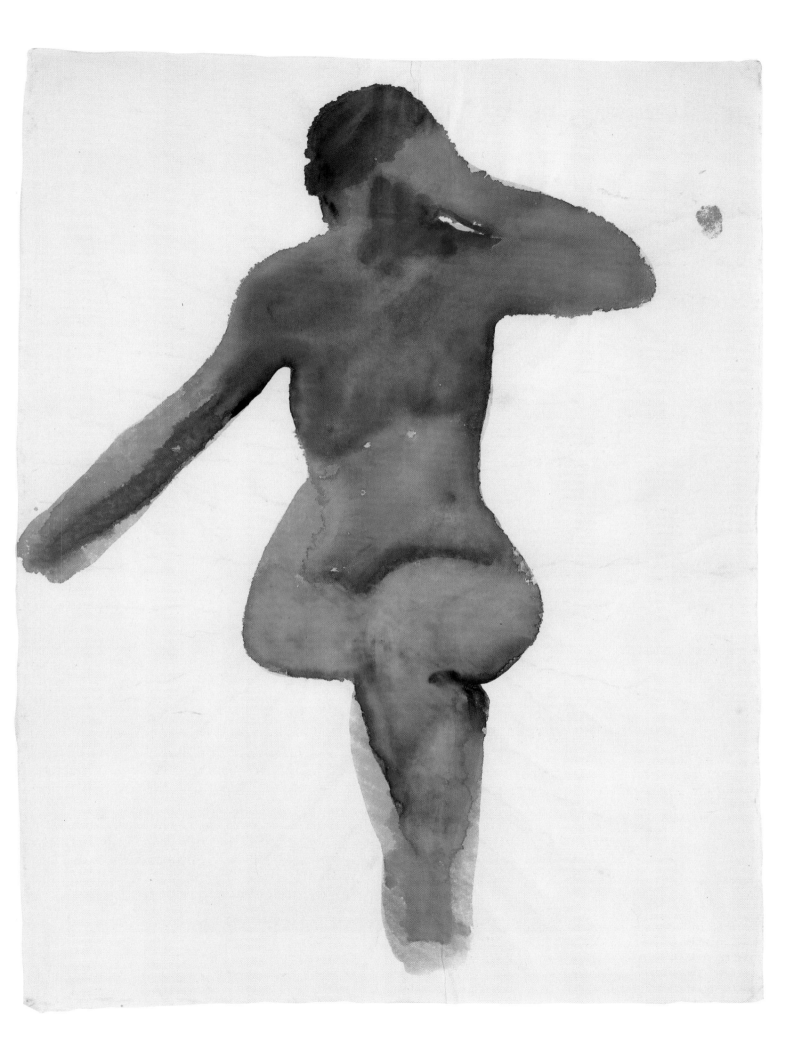

Autour d'Alfred Stieglitz

A New York, O'Keeffe habite d'abord un petit atelier qui appartient à la nièce de Stieglitz. C'est là qu'Alfred Stieglitz commence à faire d'elle des séries de photographies et, après avoir rompu un mariage malheureux, c'est là qu'il va vivre avec elle. Les sentiments qu'ils éprouvent l'un pour l'autre ne connaissent pas de limite: «Nous avons parlé pratiquement de tout. En une semaine, nous avons rattrapé des années. Je ne crois pas avoir jamais vécu quelque chose de semblable», écrit Stieglitz dans une lettre à sa sœur. Il trouve en Georgia – elle a 23 ans de moins que lui – une nouvelle source d'inspiration. Il met en lumière son corps de femme, la texture de sa peau, ses hautes pommettes et, surtout, ses longues et belles mains. L'objectif du photographe s'arrête à chaque ligne, chaque angle de son corps.

Ainsi, de 1917 à 1937, se dessine un portrait en photos, sorte de mosaïque qui, selon les postures, les angles de vue ou l'éclairage, capte des facettes toujours nouvelles de la personnalité de l'artiste. «Pour lui, un portrait n'était pas un cliché unique. Son rêve était de commencer à la naissance d'un enfant et de le photographier ensuite, tout au long de sa vie d'adulte. De faire un portrait sous forme de journal photographique.» En comparant les travaux des années 1918 à 1922, pendant lesquelles Stieglitz travaillait l'objectif collé au corps de O'Keeffe, on constate qu'il parvient plus tard à une vision plus entière de son modèle.

Aux côtés de Stieglitz qui, dès sa vingtième année s'est consacré à la photographie d'art et, plus tard, aux arts plastiques, O'Keeffe rencontre les peintres, les écrivains, les critiques et les photographes qui sont l'avant-garde new-yorkaise de l'époque. Dans les premières années de sa carrière de galeriste, Stieglitz s'était fait le champion du modernisme européen mais, après la Première Guerre mondiale, il se consacre à l'art américain. Il lui semble que c'est avec un petit groupe d'artistes qu'il peut le mieux remplir sa mission: encourager et faire connaître un courant artistique indépendant de l'Europe. Autour de lui gravitent les peintres Arthur Dove (1880–1946), Marsden Hartley (1877–1943), John Marin (1870–1953), Charles Demuth (1883–1935), le photographe Paul Strand (1890–1976) et Georgia O'Keeffe. Dans ses galeries, «The Intimate Gallery», d'abord, puis «An American Place» qu'il dirige à New York à partir de 1925 et qu'il qualifie volontiers de «laboratoires», il milite pour la reconnaissance sociale des artistes.

Parmi les artistes qui l'entourent, c'est d'Arthur Dove dont O'Keeffe se sent le plus proche. Celui-ci, inspiré par les théories du philosophe français Henri Bergson (1859–1941) sur l'intuition, a élaboré un langage pictural fondé sur des formes naturelles élémentaires. L'intuition qui, pour

Alfred Stieglitz
Montagnes et ciel, Lake George, 1924
Mountains and Sky, Lake George
Tirage à la gélatine d'argent
Philadelphie (PA), Philadelphia Museum of Art:
Given by Carl Zigrosser

ILLUSTRATION PAGE 16:
Musique bleue et verte, 1919
Blue and Green Music
Huile sur toile, 58,4 x 48,3 cm
Chicago (IL), The Art Institute of Chicago,
Alfred Stieglitz Collection, Gift of Georgia
O'Keeffe, 1969.835

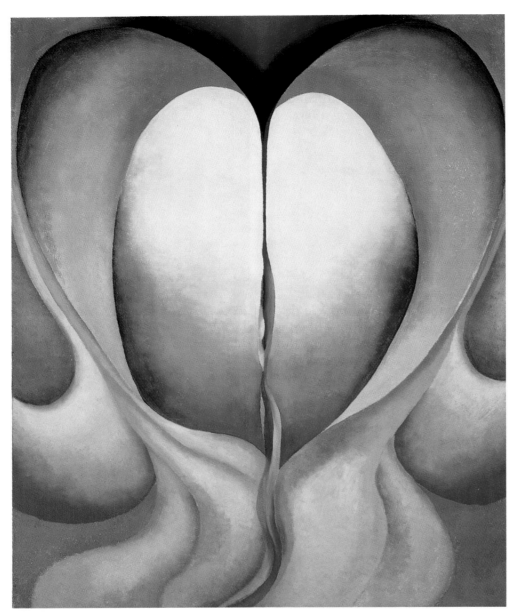

Série I, n° 8, 1919
Series I, No. 8
Huile sur toile, 50,8 x 40,6 cm
Abiquiu (NM), The Georgia O'Keeffe
Foundation

«Le monde résonne de sons. C'est un univers
fait d'êtres en activité spirituelle. Aussi la matière inerte est-elle vivant esprit.» Dans cette
phrase, Vassili Kandinsky a fait entre la musique
et les arts plastiques un parallèle qui sera d'importance pour l'abstraction. Dans un monde qui
«sonne», les thèmes empruntés à la nature et l'intuition personnelle se rencontrent en une sorte
d'harmonie universelle. Des termes comme
«composition» et «rythme» s'emploient aussi
bien pour la musique que pour la peinture; de
même, on dit de la musique qu'elle «souligne»
des faits.

mutuellement. En 1922, Stieglitz réalise une série d'études de nuages
pour laquelle il s'appuie sur les travaux abstraits, dérivés de formes naturelles, que son amie a réalisés les années précédentes.
Tandis que le photographe traite du côté abstrait de la nature, le peintre
s'intéresse davantage au monde de la figuration. Les portraits de Stieglitz
n'ont pas été sans l'influencer. Dès qu'elle les a vus, O'Keeffe est tombée
amoureuse de ces clichés inhabituels qui la représentent. D'autres célèbres photographes, parmi lesquels Ansel Adams, Arnold Newman, Phi-
lippe Halsman et Yosuf Karsh ont répondu régulièrement à cette fascination pour sa propre image, faisant d'elle une des femmes les plus photo-
graphiées du monde.
Par sa maîtrise de la lumière, Stieglitz a su révéler la substance de son
corps, sa texture, en modulations d'ombre et de lumière, en un dégradé in-
fini de couleurs qui échappent normalement à l'œil humain (ill.p. 31). «Je
réussis à m'y voir» dit O'Keeffe «et cela m'a aidée à dire ce que j'ai à
dire – en peinture.»
Le sentiment esthétique de l'artiste est en accord parfait avec celui des
photographes dont les visées artistiques, dans une discipline qu'ils nom-

ILLUSTRATION PAGE 21:
Musique – rose et bleu II, 1919
Music – Pink and Blue II
Huile sur toile, 88,9 x 74 cm
New York, Collection of Whitney Museum of
American Art. Gift of Emily Fisher Landau in
honor of Tom Armstrong

ment «photographie pure», sont une composition rigoureuse, un éclairage parfait, une mise au point précise et une grande qualité du tirage.

Dès 1917, elle prend conscience, grâce à des clichés du jeune Paul Strand, d'un aspect de la photographie, qui devait la gagner à cet art. Sous l'influence du cubisme, Strand avait photographié des objets ordinaires de très près et dans une lumière appropriée. Après agrandissement, ils s'étaient transformés en images presques abstraites faites de structures géométriques (ill. p.19 en bas).

L'idée révolutionnaire de Strand d'appliquer les principes de la peinture abstraite à la photographie éveille l'intérêt du peintre. Enthousiaste, elle en parle ainsi à Strand: «Il me semble que ces derniers temps j'ai regardé les choses et que je les vois comme tu les photographierais (...) Je crois que vous autres, les photographes vous m'avez fait voir, ou plutôt fait sentir des couleurs nouvelles. Je ne peux pas en dire plus mais je crois que je vais arriver à les peindre.»

Raisin sur une assiette blanche – bord foncé, 1920
Grapes on White Dish – Dark Rim
Huile sur toile, 22,9 x 25,4 cm
Sante Fé (NM), Collection Mr. and Mrs. J. Carrington Woolley

ILLUSTRATION PAGE 22:
Alfred Stieglitz
Georgia O'Keeffe: portrait – mains tenant une grappe de raisin, 1921
Georgia O'Keeffe: A Portrait – Hands and Grapes
Photographie au palladium
Washington (DC), Alfred Stieglitz Collection, © 1994 National Gallery of Art

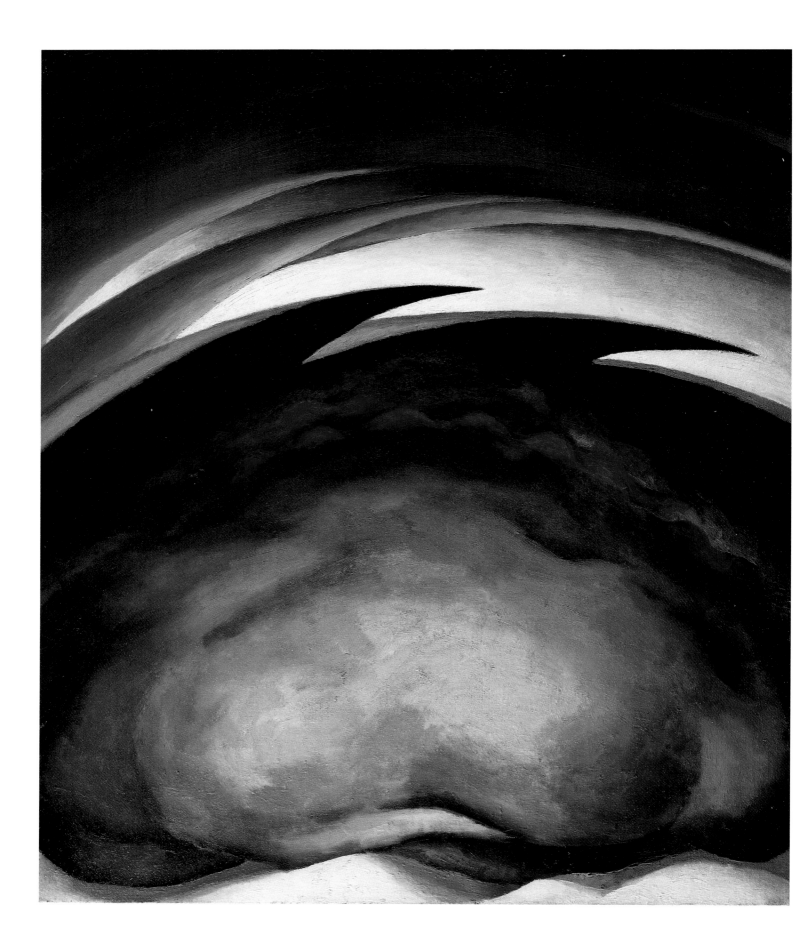

Ce tournant vers un art plus figuratif est au début des années vingt un phénomène international qui ne sera pas sans conséquence pour des peintres américains comme O'Keeffe et Hartley. Dans la nature morte de O'Keeffe *Prunes*, 1920 (ill. p. 25), les fruits, réalistes, peints en gros plan, s'offrent tentants au regard. L'image est interrompue par le bord de la toile comme s'il s'agissait du détail d'une peinture. Chaque fruit est rendu dans tout son volume, dans toute sa texture: on pourrait presque les toucher. Pourtant, ce n'est pas une description exacte du sujet qui intéresse le peintre. Le modelé en est subtil, certes, mais les fruits sont réduits à leurs caractéristiques principales selon un processus de simplification rigoureuse. Dans la mesure exacte où le dessin est retenu, les couleurs sont magnifiées et rendues plus intenses que nature. C'est grâce à l'artifice de l'agrandissement, qui deviendra une des caractéristiques principales de son art, que O'Keeffe a pris, d'un coup, ses distances d'avec la nature morte traditionnelle.

Comme Georgia O'Keeffe, Stieglitz et ses amis sont imprégnés des idées et de la peinture de Kandinsky. La théorie de l'équivalence, empruntée au symbolisme, et son corollaire, l'idée qu'une œuvre est la transposition visuelle de la perception que l'artiste a de la vie sont primordiales pour eux. Partant d'une attitude pleine de respect pour la nature et pour le paysage américain, les artistes de ce groupe recherchent les moyens artisti-

Prunes, 1920
Plums
Huile sur toile, 22,9 x 30,5 cm
Boston (MA), Collection of John and Tina Schmid

ILLUSTRATION PAGE 24:
De la plaine I, 1919
From the Plains I
Huile sur toile, 70,1 x 65 cm
Collection A. Crispo

25

Maïs, foncé I, 1924
Corn, Dark I
Huile sur carton, 80,6 x 30,2 cm
New York, The Metropolitan Museum of Art,
Alfred Stieglitz Collection, 1950

Ma cabane, Lake George, 1922
My Shanty, Lake George
Huile sur toile, 50,8 x 68,6cm
Washington (DC), © The Phillips Collection

Alfred Stieglitz
Georgia O'Keeffe et Elizabeth Davidson sur
le toit de la maison de Lake George, vers 1920
Tirage original à la gélatine d'argent
New York, Courtesy of Virginia Zabriskie,
Zabriskie Gallery

27

«Nous appelons intuition la *sympathie* en laquelle on se transporte à l'intérieur d'un objet pour coïncider avec ce qu'il a d'unique et par conséquent d'inexprimable. (…) S'il existe un moyen de posséder une réalité absolument au lieu de la connaître relativement, de se placer en elle au lieu d'adopter des points de vue sur elle, (…) de la saisir en dehors de toute traduction ou représentation symbolique, la métaphysique est cela même.» La philosophie de Henri Bergson fut d'une grande importance pour l'art du début du siècle. Pénétrer la réalité au lieu d'énoncer des opinions, voilà qui convient à Georgia O'Keeffe: l'image, en vagues d'air et d'eau qui se mêlent, ne peut être qu'un aperçu du fait universel de la création.

ques de traduire ces expériences qu'ils font avec la nature. C'est ce qu'exprime O'Keeffe en 1930 dans une lettre au directeur de musée Milliken: «Je sais que je ne peux pas peindre une fleur. Je ne peux pas peindre le soleil sur le désert, un clair matin d'été mais je peux peut-être, grâce à la couleur, vous faire part de mon expérience de la fleur ou de ce que la fleur signifie pour moi à ce moment précis.»

La traduction d'une expérience n'entraîne pas, d'après ces artistes, une représentation réaliste; ce qui importe c'est la profondeur du sentiment éprouvé dans la perception de la réalité. Pour O'Keeffe, dont le langage pictural forme une synthèse harmonieuse entre abstraction et figuration, c'est la forme abstraite qui, le plus souvent, cerne le mieux la vérité recherchée. «Je trouve surprenant que tant de gens fassent la distinction entre le figuratif et l'abstrait. La peinture figurative ne peut être une bonne peinture que dans un sens abstrait. Une colline ou un arbre ne feront jamais une bonne peinture en tant que tels. C'est la combinaison des lignes et des couleurs qui exprimeront quelque chose. Pour moi, c'est cela la base de toute peinture. L'abstraction est souvent la façon la plus précise d'exprimer l'indicible qui est en moi et que je ne peux éclaircir qu'en le peignant.»

L'affinité profonde qui existe entre les artistes gravitant autour de Stieglitz – elle s'exprime par une vision idéalisée de la nature et une identification avec la grandeur des paysages – unit aussi Georgia O'Keeffe à ces artistes. Bien que cela n'apparaisse pas toujours clairement sur le plan formel, ces influences et cette inspiration mutuelles la mènent à s'exprimer de la même manière émotionnelle, ce qui donne une direction nouvelle à son art.

Miguel Covarrubias
Notre Dame du Lis: Georgia O'Keeffe, 1929
Our Lady of the Lily: Georgia O'Keeffe
© 1929, 1957. Courtesy of the New Yorker
Magazine Incorporated

ILLUSTRATION PAGE 33:
Calla d'Afrique sur fond rouge, 1928
Single Lily with red
Huile sur bois, 30,5 x 15,9 cm
New York, Collection of Whitney Museum of
American Art. Purchase.

Ce Calla unique, agrandi, contrastant sur le fond
rouge compte parmi les sujets favoris du peintre.
Ce devint même, dans les années 20, l'emblème
de son art.

ILLUSTRATION PAGE 34:
Iris blanc, vers 1926
White Iris
Huile sur toile, 61 x 50,8 cm
New York, Collection Emily Fisher Landau

ILLUSTRATION PAGE 35:
Iris clair, 1924
Light Iris
Huile sur toile, 101,6 x 76,2 cm
Richmond (VA), Virginia Museum of Fine Arts,
Gift of Mr. and Mrs. Bruce C. Gottwald

nation. L'agrandissement sort les fleurs de leur contexte, leur donne une importance particulière, surdimensionnelle, et le regard plonge dans le détail de la fleur. Les fleurs de O'Keeffe n'ont rien d'artificiel: on distingue la texture cireuse des lis comme celle, veloutée, des iris. La couleur, posée en épaisseur, à coups de pinceau invisibles donne une impression charnelle, solide. Pour obtenir cette perfection technique vers laquelle elle tend toujours, O'Keeffe utilise un apprêt destiné à rendre les couches du dessous très lisses et une toile très fine. Mais elle cherche toujours la simplification de son sujet. C'est peut-être pourquoi le Calla, avec sa structure limpide, lui plaît tellement.

Ses représentations de fleurs, dont elle respecte toujours les teintes, sont en même temps des descriptions d'une couleur en particulier. Ainsi l'indiquent les titres, qui parlent du rouge du pavot ou du noir de l'iris. C'est pour étudier plus commodément la couleur bleue que O'Keeffe plante, à une époque, des pétunias bleus à Lake George. Le peintre qui considérera toute sa vie la couleur comme son premier moyen d'expression en a parlé en ces termes: «La grande fleur blanche au cœur jaune représente ce que j'ai à dire sur le blanc – et qui n'a plus rien à voir avec ce que le blanc signifiait pour moi avant. Je ne saurais dire ce qui passe d'abord, de la fleur ou de la couleur blanche. Mais ce que je sais c'est que si la fleur est si grande c'est pour vous faire part de mon expérience de la fleur – et qu'est-elle, cette expérience, si ce n'est celle de la couleur? (...) Pour moi, la couleur est une des choses au monde qui font que la vie vaut d'être vécue et je vois la peinture comme le désir de créer avec des pigments de couleur un équivalent à la vie – à la vie telle que je la vois.» Comme souvent lorsqu'elle poursuit une thématique, O'Keeffe réalise des séries de fleurs pour affiner sans cesse le motif. Ce concept, qui sera le sien tout au long de sa carrière, évoque une parenté avec l'art japonais dans lequel le même thème est repris sans cesse par variations, changements de perspective et à des saisons différentes. Et ce faisant, O'Keeffe ne s'en tient pas à une seule forme de représentation. La série des *Arisèmes*, par exemple (ill. pp. 42–45), est une suite de six toiles de plus en plus abstraites. A aucun moment elle n'est aussi proche de son idéal, la forme simple, réduite à l'essentiel, que dans ce cycle. Au début, la plante est représentée de façon réaliste, bien que simplifiée, mais, sur la dernière toile, il ne reste que l'anthère caractéristique de l'arisème.

Ces fleurs en très gros plan rompent avec la tradition historique de la nature morte. O'Keeffe regarde la fleur un peu comme le ferait un papillon ou une abeille et le résultat fait plutôt penser à une photographie, au cliché de fleur de lotus, par exemple, réalisé un siècle auparavant par Edward Steichen. Même si O'Keeffe, comme d'autres artistes, nie que des influences aient pu s'exercer sur son œuvre, ses fleurs gigantesques – comme d'ailleurs ses natures mortes des années précédentes – sont très proches des agrandissements du photographe Paul Strand qu'elle a vus pour la première fois en 1917. Elles sont également contemporaines des photos en gros plan de fleurs et d'objets naturels, empreintes de sensualité telles que les réalisent un Paul Strand ou, sur la côte Est des Etats-Unis Imogen Cunningham et Edward Weston.

Le charme de ces toiles procède de la passion de Georgia O'Keeffe pour le monde végétal. Elle respecte la vie de chaque fleur, refuse par exemple des visites impromptues pour terminer sa toile avant que la fleur ne se fane. Sa façon de mettre en valeur une forme individuelle, le regard qu'elle porte sur une fleur unique, placée au centre et agrandie à l'ex-

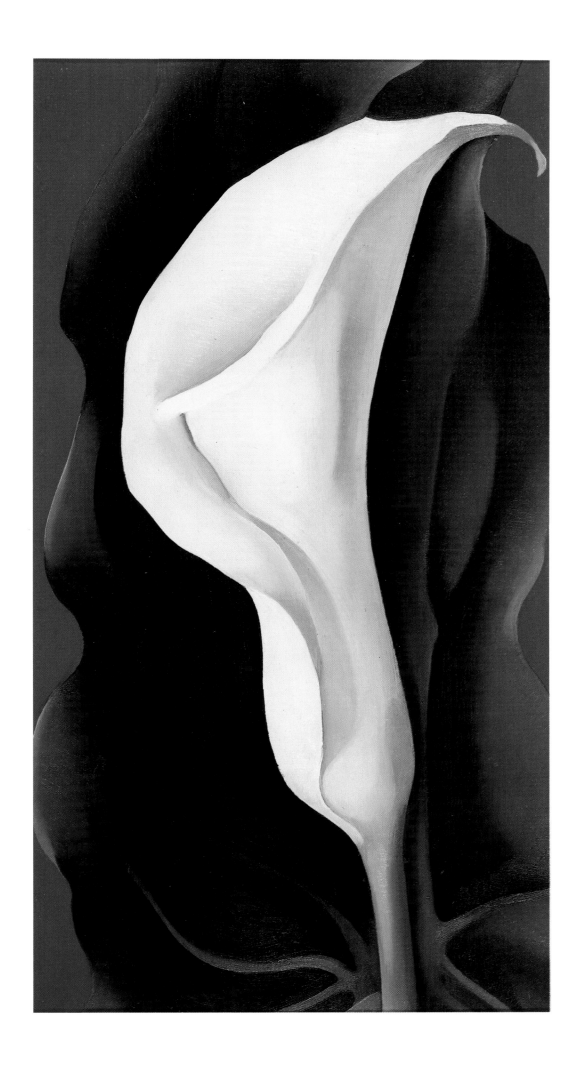

Iris foncé n° II, 1926
The Dark Iris No. II
Huile sur toile, 22,9 x 17,8 cm
Abiquiu (NM), The Georgia O'Keeffe
Foundation

«Je crois qu'une feuille d'herbe n'est en rien in-
férieure au labeur des étoiles», écrivit le plus
grand poète américain du 19ème siècle, Walt
Whitman (1819–1892). Le fait d'être physique-
ment proche de la nature, et même, littéralement,
d'y coller son nez, la stylisation des beautés naturelles: autant de choses qui caractérisent les
fleurs de O'Keeffe qui, comme le livre de Whitman «Feuilles d'herbe», sont une façon typiquement américaine d'appréhender la réalité. Stieglitz, lui aussi, a fait siennes les idées de Whitman.

ILLUSTRATION PAGE 36:
Iris noir III, 1926
Black Iris III
Huile sur toile, 91,4 x 75,9 cm
New York (NY), The Metropolitan Museum of
Art, Alfred Stieglitz Collection, 1969

trême est une vision intense, romantique, qui confère à la plante des caractéristiques humaines. Les vers de William Wordsworth, poète romantique anglais, auraient pu servir de commentaire à ces toiles: «A chaque
forme naturelle, roche, fruit ou fleur / Aux pierres mêmes de la route / Je
donnai une vie de l'âme / Ou les associai à quelque sentiment (…)»
C'est une attitude semblable que l'on observe chez les «chiaristi» américains qui, avec leurs images représentant une fleur unique peinte de près
restent dans la tradition romantique des peintres de fleurs du dix-neu-
vième siècle. Chez Martin Johnson Heade, une fleur de magnolia placée
au milieu de la toile de façon à capter les regards (ill. p. 38), évoque le
même respect de l'individualité de la fleur que les natures mortes de
O'Keeffe. Il émane du magnolia de Heade, entouré de ses feuilles lisses
et brillantes, la même perfection, la même beauté que des pavots peints
en 1928 par O'Keeffe (ill. p. 39).
Comme elle l'explique elle-même, Georgia O'Keeffe cherche, par ce recours au figuratif qu'elle s'est imposé à partir de 1924, à mettre en défaut
la sexualisation des interprétations qu'avaient suscitées les toiles abstrai-

tes de ses débuts. Etant donné le climat de l'Amérique des années 20 et l'engouement du grand public new-yorkais pour les théories de Sigmund Freud, les fleurs gigantesques, avec leur anatomie minutieusement détaillée, semblent pleines de sous-entendus érotiques dont l'artiste ne voulait rien savoir. «Voilà – je vous ai fait prendre le temps de regarder ce que je voyais et vous, vous avez reporté sur ma fleur vos propres associations et vous parlez de ma fleur comme si c'était moi qui pensais et voyais ce que vous pensez et voyez de cette fleur – toutes choses que je ne pense ni ne vois.»

Les organes de reproduction des végétaux ayant effectivement des ressemblances avec ceux des êtres humains, on a tout loisir de faire, à la vue de ces calices profondément ouverts, des rapprochements érotiques. Mais une des caractéristiques principales de l'art de O'Keeffe, une caractéristique qui fait aussi la grandeur de sa peinture, c'est justement de ne pas trancher pour une interprétation. Les photographies de Stieglitz et de Strand lui avaient appris quelles transformations peut subir un sujet sorti de son contexte. En 1922, elle en est arrivée à penser: «Rien n'est moins réel que le réalisme. Ce n'est qu'en faisant des choix, en éliminant des choses et en en soulignant d'autres, que l'on découvre la vraie signification des choses.»

A la recherche de la «vraie signification» des choses, il semble que O'Keeffe, de plus d'un point de vue, ait trouvé la complexité de la réalité. Dans la toile *Deux Callas d'Afrique sur fond rose*, ce qui rend impossible toute interprétation nette ce n'est pas seulement le fond, avec sa structure ambivalente reprenant celle, organique, des fleurs, c'est aussi l'éclairage de l'image et le modelé des pétales. Ce qui au premier abord apparaît comme une donnée réaliste se dérobe finalement au regard. Comme pour la taille des fleurs – qui, en fait, sont représentées grandeur nature – il s'agit d'un effet déstabilisateur. En cela, O'Keeffe se rapproche des mouvements artistiques européens des années 20, d'un vérisme de type magique dont l'influence s'étend à l'Amérique. Ici comme là-bas, on porte sur les choses un regard bien particulier. Derrière le réalisme d'un sujet décrit avec précision se cache une «tout autre» réalité: les données objectives ne sont pas transformées mais on n'est jamais devant une simple description. Pour faire apparaître la quin-

Martin Johnson Heade
La fleur de magnolia, vers 1885–95
The Magnolia Flower
Huile sur toile, 39,1 x 61 cm
San Diego (CA), The Putnam Foundation,
Timken Museum of Art

La proximité à l'égard de la nature, le regard plongé dans le microcosme de la fleur caractérisent aussi l'art de Martin Johnson Heade, à la fin du 19ème siècle: coupé de l'arbre, le magnolia apparemment sans vie est encore d'une beauté pleine de vitalité.

tessence des choses on procède à leur simplification et c'est seulement un examen approfondi qui fera apparaître l'image dans sa totalité.
Les vues citadines font partie des thèmes naturalistes de O'Keeffe pendant les années 20. Avec leurs formes simplifiées, réduites à leurs contours géométriques primaires, leurs lignes claires et leurs surfaces lisses et brillantes, elles représentent nettement la version américaine du réalisme de l'époque qu'on appelle le précisionnisme. Ce style objectif, caractérisé par une acuité et une précision constantes conduit simultanément peintres et photographes américains à des thématiques communes que l'on retrouve aussi dans la peinture de O'Keeffe.
Comme souvent chez elle, l'inspiration de sa première toile représentant New York lui vient d'une fascination pour une forme particulière. Ce sont les hautes silhouettes de buildings se découpant sur le ciel de la ville qui, au début de 1925, servent de point de départ à la toile *New York avec lune*, dans laquelle l'architecture des bâtiments n'apparaît que de façon floue dans la lumière vague d'un réverbère. A l'automne de cette même année, O'Keeffe et Stieglitz vont habiter au Shelton, un hôtel qui a été achevé un an auparavant; ils y occupent d'abord un appartement de deux pièces au 28ème puis au 30ème étage. La vue grandiose qu'ils ont de leur fenêtre incite Georgia à évoquer la ville une fois encore sur la toile. A cette époque, les pièces des étages supérieurs étaient occupées en ma-

Pavots d'Orient, 1928
Oriental Poppies
Huile sur toile, 76,2 x 101,9 cm
Minneapolis (MN), Weisman Art Museum,
University of Minnesota

«Une fleur est quelque chose de relativement petit. Une fleur, l'idée de fleur, cela parle à tout le monde (…) Alors je me suis dit, je vais peindre ce que je vois, ce que la fleur signifie pour moi. Mais je vais la peindre en grand et les gens seront si surpris qu'ils prendront le temps de la regarder (…)»
GEORGIA O'KEEFFE

jeure partie par des bureaux et le couple fait partie des premiers privilé-giés à vivre au-dessus des toits de la ville. Les hommes de leur entourage artistique considèrent que l'architecture est un domaine qui leur appar-tient. De quoi O'Keeffe se mêle-t-elle? Celle-ci se sent mise au défi et le succès lui donne raison: sa première vue citadine se vend dès l'ouverture de l'exposition.

Les gratte-ciel, sujet de ces toiles, reflètent le style architectural qui, dans les années 20, ces fameuses «roaring twenties», se manifeste autour de Grand Central Station. Bien qu'il faille attendre les années 30 pour qu'é-merge la fameuse «skyline» caractéristique de la ville, des bâtiments comme le *Radiator Building* (ill. p. 51) ou le Shelton (ill. pp. 46–47), dont O'Keeffe suit la construction avec intérêt, sont, dès les années 20, à cause de leur hauteur et de leur monumentalité, des symboles du moder-nisme. Dix ans auparavant, des artistes européens comme Marcel Du-champ ou Francis Picabia avaient déjà vu dans l'architecture de New York une expression de la modernité. Maintenant, ce sont les artistes améri-cains qui prennent conscience de leur environnement. Peut-être O'Keeffe, lorsqu'elle décide, à partir de 1925, de chanter l'architecture moderne dans sa peinture, est-elle influencée par le théoricien Claude Bragdon qu'elle connaît et qui, comme elle, vit au Shelton. Peu après que le Shel-ton soit achevé, Bragdon écrit: «Non seulement le gratte-ciel est un sym-bole de l'Esprit Américain – agité, centrifuge, en équilibre instable – mais il est aussi la seule réalisation originale en architecture qui soit entière-ment nôtre.»

Les vues de New York représentent dans l'œuvre de O'Keeffe une sorte de contrepoint. Dans ces vues citadines, plus d'une vingtaine entre 1925 et 1930, s'exprime une dimension qui ne domine pas dans l'ensemble de l'œuvre: celle du temps. «Son» New York, cette ville qui nous apparaît sur ses toiles, a quelque chose d'atmosphérique, de visionnaire. O'Keeffe pensait qu'on ne pouvait capter qu'une apparence de la ville: «On ne peut pas peindre New York comme elle est mais comme on la sent.» Elle par-tage cette vision émotionnelle avec d'autres artistes, avec l'écrivain Tru-man Capote, par exemple, qui pensait peut-être aux toiles de O'Keeffe en écrivant: «C'est une construction fantasmatique, cette ville, avec ses pièces et ses fenêtres, ses rues qui crachent la fumée. Elle est pour chacun un fantasme différent, tête de monstre avec des yeux en feux de signalisa-tion, doux clin d'œil vert, rouge cynique. Cette île qui nage dans l'eau du fleuve comme un iceberg de diamant, appelle-la New York, appelle-la comme tu veux. Le nom n'a pas d'importance: on vient d'ailleurs, d'une réalité plus vaste et on cherche une ville pour se cacher, pour se trouver soi-même ou pour découvrir autre chose, pour construire un rêve qui prouvera qu'on n'est peut-être pas un vilain petit canard mais quelqu'un de magnifique et digne d'être aimé.»

O'Keeffe peint le Shelton vu d'en bas d'où il s'élève de toute sa hauteur et cette perspective souligne la verticalité du bâtiment. Comme l'a dit si justement Le Corbusier: «New York est une ville verticale.» En représen-tant bien des constructions new-yorkaises sous cet angle, l'artiste a rendu hommage à cette dimension de la ville. Ce qui l'intéresse, ce n'est pas le bâtiment en lui-même. Le plus souvent, il n'est rendu que de façon sché-matique. Les rangées de fenêtres sont esquissées. Cette simplification des détails permet de mettre l'accent sur les contours extérieurs et les ca-ractéristiques formelles s'imposent. Les façades presque plates donnent l'impression de décor de théâtre et c'est ce qu'elles sont, en effet: des dé-cors pour autre chose, pour les jeux de lumière qui illuminent le ciel

ILLUSTRATION PAGE 41:
Abstraction, Rose blanche II, 1927
Abstraction, White Rose II
Huile sur toile, 91,4 x 76,2 cm
Abiquiu (NM), The Georgia O'Keeffe Foundation

«Pathetic Fallacy» (Tromperie pathétique) disait John Ruskin (1819–1900) d'un art tendant à don-ner une vision anthropomorphique de la nature, à humaniser des phénomènes non humains. Même sans s'arrêter à une interprétation freudienne, les fleurs de O'Keeffe illustrent à merveille l'expres-sion de Ruskin: sa vision leur insuffle la vie, leur confère quelque chose de dramatique.

Arisème II, 1930
Jack-in-the-Pulpit II
Huile sur toile, 101,6 x 76,2 cm
Washington (DC), Alfred Stieglitz Collection,
Bequest of Georgia O'Keeffe
© 1994 National Gallery of Art

«Lorsque j'ai eu compris que tout art valable, des débuts à nos jours, n'est régi que par quelques principes, j'entrepris d'étudier ces principes qui interviennent dans l'art, et aussi dans la nature. L'un d'eux, très évident, était le choix du motif simple, choix qu'a fait aussi la nature à qui suffisent un petit nombre de formes et de couleurs.» Georgia O'Keeffe avait fait sienne cette formulation d'Arthur Dove, un de ses premiers compagnons de route: c'est dans la simplicité du motif que s'expriment les principes naturels et artistiques de la création.

d'une grande ville. Les quelques trouées qui sont mises en valeur entre gratte-ciel et immeubles laissent apparaître une vue intacte sur l'horizon, qui, même ici, dans la ville, est présent.

S'efforçant de saisir l'atmosphère de la ville à des heures et à des saisons différentes, O'Keeffe crée des images qui sont proches de celles de Stieglitz. Ses nombreux clichés de New York, *Ville de l'ambition* (ill. p. 46), par exemple, réalisés dans les années 1890 et qui représentent la ville sous la pluie, par tempête de neige, de jour ou de nuit, témoignent de cette ressemblance.

Les perspectives choisies par O'Keeffe, pourraient venir de la technique photographique. Ainsi travaillait le photographe et peintre Charles Sheeler (1883–1965), par exemple, qui, bien qu'il n'ait jamais été exposé chez Stieglitz, frayait avec des artistes de son cercle. Au début des années 20, il collabora, avec Paul Strand, au court métrage «Mannahatta» où New York est filmé dans des perspectives inhabituelles et extrêmes, d'en haut ou d'en bas. Ensuite, Sheeler reprenait dans sa peinture les mêmes angles

ILLUSTRATION PAGE 43:
Arisème III, 1930
Jack-in-the-Pulpit III
Huile sur toile, 101,6 x 76,2 cm
Washington (DC), Alfred Stieglitz Collection,
Bequest of Georgia O'Keeffe
© 1994 National Gallery of Art

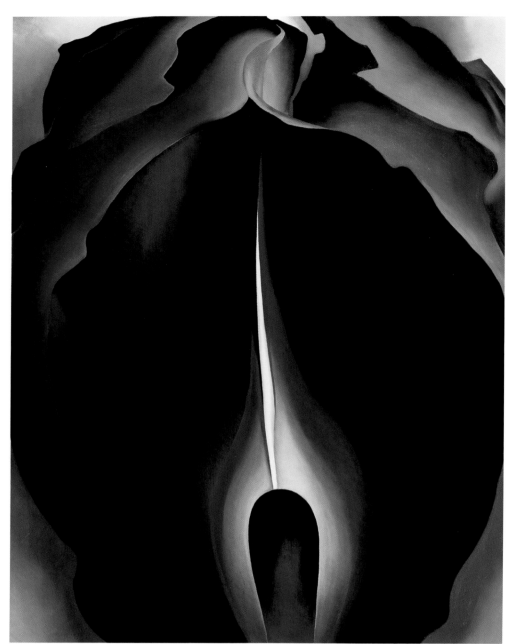

Georgia O'Keeffe pose le même regard sur les choses naturelles et sur les choses fabriquées de main d'homme. Qu'il s'agisse d'une fleur ou d'un gratte-ciel, elle s'en approche de très près, les regarde d'en bas et en fait des monuments. La taille absolue du sujet disparaît derrière sa taille relative sur la toile. Reste un respect de toute création, respect qui, selon Whitman, n'a pas à faire la différence entre une feuille d'herbe et une étoile.

de vue (ill. p. 52). Parmi d'autres œuvres de O'Keeffe, le triptyque *Man-hattan* permet de penser qu'elle connaissait bien le film. C'est presque une citation: il comprend trois vues de gratte-ciel, chacune séparée de l'autre par une barre sur toute la hauteur de l'image. Dans *Nuit sur la ville* (ill. p. 53), le choix d'une «prise de vue» photographique est particulièrement net. Les immeubles présentent une déformation due à la perspective, comme s'ils avaient été captés par un objectif dirigé droit vers le haut: les façades sont des surfaces trapézoïdales dont les contours sont des «lignes de fuite».

La lumière joue un rôle bien particulier dans ces vues citadines. Dans la toile *L'hôtel Shelton avec taches de soleil* (ill. p. 47), l'artiste saisit magistralement l'effet fugitif d'un éclat de soleil, vu par un citadin qui n'a pas souvent l'occasion de voir la lumière envahir les rues étroites de sa ville. La toile entière irradie une lumière diffuse qui s'engouffre entre les bâtiments en vagues brumeuses. L'effet d'éblouissement est dû à l'intense lumière projetée sur la façade de l'hôtel en haut de l'image mais surtout

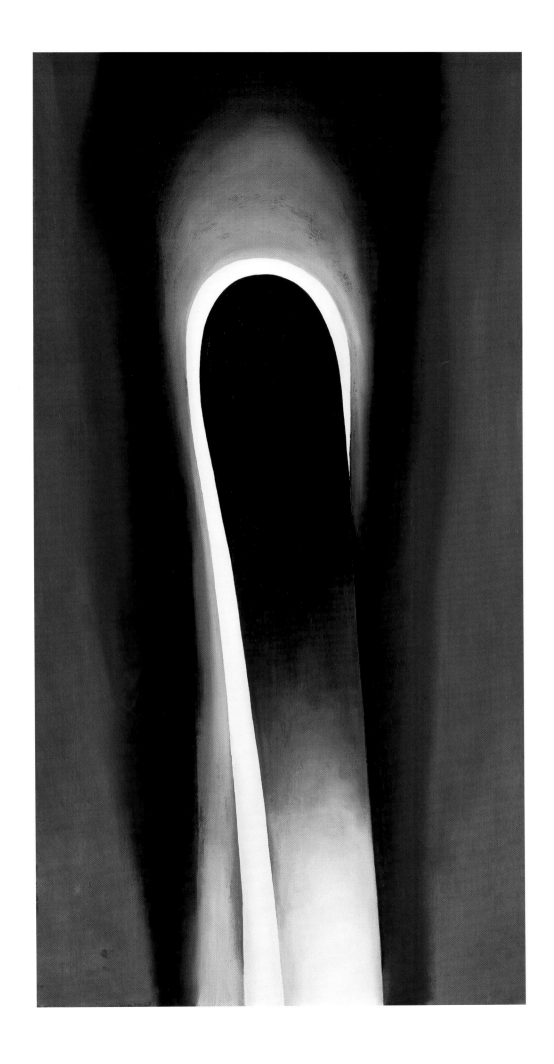

Alfred Stieglitz
Ville de l'ambition, 1910
The City of Ambition
Tirage photographique
Philadelphie (PA), Philadelphia Museum of Art,
Alfred Stieglitz Collection

ILLUSTRATION PAGE 47:
L'hôtel Shelton avec taches de soleil, 1926
The Shelton with Sunspots
Huile sur toile, 123,2 x 76,8 cm
Chicago (IL), The Art Institute of Chicago,
Gift of Leigh B. Block, 1985.206

Hôtel Shelton, New York, n° 1, 1926
Shelton Hotel, New York, No. 1
Huile sur toile, 81,3 x 43,2 cm
Minneapolis (MN), The Regis Collection

Alfred Stieglitz
***Vue sur Brooklyn et l'East River de l'hôtel
Shelton***, 1931
Tirage à la gélatine d'argent
Philadelphie (PA), Philadelphia Museum of Art:
Alfred Stieglitz Collection

L'art des années 20 préfère la ville, dont la vie
complexe semble plus intéressante, plus riche
artistiquement parlant que la simplicité campa-
gnarde. Dans un style qui lui est propre, Stieglitz
saisit ici un paysage urbain et industriel qui s'é-
tend jusqu'à l'horizon. Vu de l'appartement du
Shelton où vivent Stieglitz et O'Keeffe, cet univers façonné par l'homme fait pendant à celui de
la nature.

aux points colorés dont l'image est parsemée et qui, dans leur transpa-
rence, semblent constituer une atmosphère. La répartition irrégulière, le
caractère translucide des «sunspots» et le halo de lumière de la façade
donnent à s'y méprendre une impression de scintillement telle que la pro-
duit un appareil photo lors de la réflexion d'un fort contre-jour – les len-
tilles de l'objectif font naître des reflets de lumière qui apparaissent ensuite nettement sur la pellicule – l'immense halo lumineux autour du
point clair que forme le soleil a pu être perçu comme tel dans la photographie de Georgia O'Keeffe. Dans les vues de New York, O'Keeffe évoque
avec beaucoup de subtilité la lumière dans une grande ville où elle se manifeste moins directement que par réflexion sur des constructions. Dans
Hôtel Shelton, New York, n°1 (ill. p.46) il semble que ce soit aussi l'effet
de reflet qui l'ait intéressée. Les rectangles des fenêtres, rendus en un dégradé de gris et de blancs, évoquent une répartition inégale de la lumière
que les vitres ne réfléchissent pas toutes de la même façon.
Toutes les heures du jour et de la nuit intéressent le peintre. C'est lorsqu'elle évoque la vie nocturne de New York que le style de O'Keeffe est
le plus personnel. La lumière artificielle y est omniprésente: fenêtres
éclairées, sommets des tours décorés de guirlandes fluorescentes, phares
de voitures, réclames lumineuses, feux rouges de signalisation, néons –

Manhattan, ville de lumière. Le point de départ de certaines de ces toiles, *New York, nuit*, par exemple (ill. p. 50), est la vue qu'a le peintre de son appartement, le flot de lumières des voitures qui circulent le long de Lexington Avenue et, au premier plan, le Berkeley Hotel. Comme dans *New York, nuit*, la ville est souvent représentée de façon sommaire. L'artiste fixe simultanément plusieurs phénomènes fugitifs qui se déroulent parallèlement et que l'œil humain, de cette hauteur, ne peut percevoir que de façon floue et fragmentaire. C'est une vision photographique, en particulier celle d'un téléobjectif, qui semble avoir inspiré Georgia O'Keeffe pour ce genre de perspective et lui avoir donné une image aussi détaillée de la configuration urbaine, de ses dessins et de ses surfaces.

Les photographes Stieglitz, Strand et Sheeler adhéraient à la théorie du philosophe Henri Bergson selon laquelle l'esprit humain n'est pas capable d'appréhender correctement la notion de temps; pour parvenir à la vraie connaissance des choses, il lui faudrait une interruption du temps. Selon ces artistes américains, la photographie est un moyen précieux de créer cette interruption puisqu'elle rend possible d'extraire un instant du temps qui passe et de le fixer sur le papier. Selon eux, la photographie va plus loin encore: elle peut saisir l'essence de l'objet et la rendre manifeste. Ainsi, pour Stieglitz, les conditions météorologiques et l'atmo-

Coupe rose et feuilles vertes, 1928
Pink Dish and Green Leaves
Pastel sur papier, 55,9 x 71,1 cm
© Juan Hamilton

Autre vue de la même fenêtre: ce pastel de Georgia O'Keeffe présente le contraste entre monde naturel et monde artificiel. Deux feuilles vertes perdues dans leur coupe, dernières formes organiques face à la géométrie austère de l'architecture urbaine. Lorsque les plantes ont disparu ce sont les objets quotidiens qui évoquent le souvenir de la nature.

New York, nuit, 1929
New York, Night
Huile sur toile, 101,6 x 48,3 cm
Lincoln (NE), Collection of the Shelton Memorial Art Gallery, University of Nebraska Art Galleries

ILLUSTRATION PAGE 51:
Radiator Building, nuit, New York, 1927
Radiator Building, Night, New York
Huile sur toile, 121,9 x 76,2 cm
Carl van Vechten Gallery of Fine Arts,
Fisk University

51

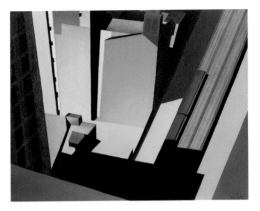

Charles Sheeler
Church Street El, 1920
Huile sur toile, 40,6 x 48,5 cm
Cleveland (OH), © The Cleveland Museum of
Art, Mr. and Mrs. William H. Marlatt Fund

Dans cette toile réalisée d'après un plan de son
court-métrage «Mannahatta», Charles Sheeler,
un artiste de l'entourage de Stieglitz, fait preuve
d'une modernité plus radicale que O'Keeffe. Les
immeubles, vus d'avion, s'imbriquent en un défi-
lé de constructions uniformes.

sphère d'un moment donné sont-elles les seuls éléments qui permettent
une photographie «vraie».

Perspectives photographiques et particularités picturales, jeux de reflets,
par exemple, sont chez O'Keeffe des éléments structurants qui lui permettent de traduire ses sentiments pour la métropole qu'est New York. Il est
possible que sa version personnelle des phénomènes changeants et fugitifs de la ville ait été influencée par les idées des photographes de son entourage qui ont cherché à tirer parti des deux potentialités d'un objectif,
arrêter le temps et mettre au jour l'essence du sujet choisi. La grande
force de Georgia O'Keeffe est d'avoir réussi à révéler le rayonnement im-
palpable de cette ville et la fascination qu'elle exerce.

ILLUSTRATION PAGE 53:
Nuit sur la ville, 1926
City Night
Huile sur toile, 121,9 x 76,2 cm
Minneapolis (MN), The Minneapolis Institute of
Arts, Gift of the Regis Corporation,
Mr. and Mrs. W. John Driscoll

Georgia O'Keeffe avait vu les photographies
d'architecture de Charles Sheeler et Paul Strand
et elle connaissait les effets de la perspective.
Les gratte-ciel représentés ici présentent les
même déformations que s'ils étaient vus par un
objectif travaillant de bas en haut. Mais en peinture, le problème technique devient tour de main.
Les immeubles prennent souvent l'allure de monuments commémoratifs, symboles du progrès –
et de ses dangers.

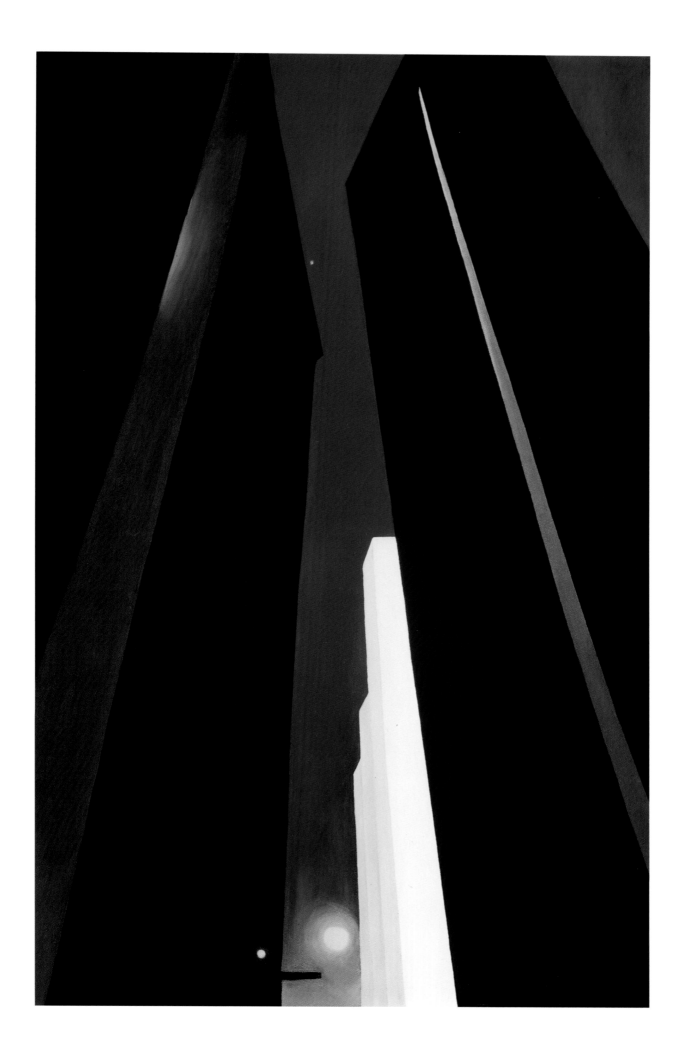

Visions du désert

Deux délicates opérations chrirurgicales du sein, que Georgia O'Keeffe doit subir en 1927, ajoutées à des tensions importantes dans sa vie privée et au fait que Stieglitz s'intéresse à une autre femme, conduisent l'artiste à se concentrer sur son évolution et sa carrière personnelles. Faire son chemin signifie aussi pour elle se soustraire de plus en plus à la tutelle de Stieglitz. Bien des années plus tard, elle parle en ces termes de ce combat: «Si on le contrariait le moins du monde, sa force de destruction était aussi grande que sa force de création – les extrêmes se rejoignaient. J'ai fait l'expérience des deux et j'ai survécu, mais je ne l'ai contrarié que si je ne pouvais pas faire autrement – pour survivre.»

Répondant à une invitation de Mabel Dodge Luhan – un écrivain et amie des arts fortunée qui aimait la compagnie des artistes – O'Keeffe se rend pendant l'été 1929 à Taos. Rebecca Strand, la femme du photographe Paul Strand, se joint à elles. O'Keeffe avait vu pour la première fois en 1917, en se rendant au Colorado, les plateaux du Nouveau-Mexique, avec leurs canyons profonds et leurs sommets boisés et elle en avait été fascinée. «J'ai tout de suite adoré ce paysage. De ce jour, j'ai cherché à y retourner.» Le cadre idyllique de Lake George, avec son doux relief et son éternelle verdure ne satisfait plus son âme de peintre. Il lui faut les grands espaces qu'elle a connus dans son enfance et qu'elle a retrouvés, des années auparavant, dans les plaines du nord du Texas. Dès le milieu du 19ème siècle, les hauts déserts du Nouveau-Mexique, avec leur décor dramatique et leur intense lumière, avaient attiré des peintres et des écrivains. C'est peut-être D.H. Lawrence, qui y vécut quelque temps, qui décrit le mieux la magie du lieu en des termes pathétiques: «Mais dès le moment où je vis cet astre brillant et fier au-dessus du désert de Santa Fé, quelque chose s'arrêta dans mon âme et mon attention fut en éveil.»

Il semble que, tout d'abord, et comme d'autres peintres avant elle, O'Keeffe ait eu du mal à capter dans sa peinture la beauté mystérieuse du paysage. Marsden Hartley, invité quelques années auparavant par Mabel Dodge, avait évoqué dans une lettre à Stieglitz les difficultés rencontrées: «Au Nouveau-Mexique, ce n'est pas la lumière qui tombe sur les choses, ce sont les choses qui apparaissent dans la lumière. C'est donc le pays de la forme, et le problème de la lumière se pose d'une façon complètement différente.» Par le biais de nombreux thèmes traitant de la culture et de la tradition, O'Keeffe s'efforce de cerner le paysage. L'église de Ranchos de Taos, construite au 18ème, avec ses murs de terre aux angles arrondis l'intéresse, comme elle a intéressé bien des artistes avant elle. Elle peint cette église de mission espagnole de différents points de vue, par soleil, par temps couvert.

Anonyme
Georgia O'Keeffe à la «Maison Rose», Taos, Nouveau-Mexique, 1929
Photographie
Santa Fé (NM), Courtesy Museum of New Mexico, Neg. No. 9763

ILLUSTRATION PAGE 54:
Jours d'été, 1936
Summer Days
Huile sur toile, 92,1 x 76,7 cm
New York, Whitney Museum of American Art.
Promised gift of Calvin Klein

Anonyme
Alfred Stieglitz et Georgia O'Keeffe, 1932
Photographie
New Haven (CT), Courtesy of Beinecke Rare
Book and Manuscript Library, Yale University
Library

Utagawa Hiroshige
Prunelaie à Kameido, 1857
Estampe, 36,3 x 24,6cm
Amsterdam, Rijksmuseum Vincent van Gogh,
Fondation Vincent van Gogh

Les croix monumentales, symboles du catholicisme espagnol, érigées dans tout le désert du Nouveau-Mexique par la secte des Pénitents connus pour leur dogmatisme, sont un autre thème récurrent de cette année 1929. «Peindre ces croix», expliquera-t-elle plus tard, «c'était pour moi une façon de peindre ce pays.» La première toile qui témoigne de la végétation et du paysage du Nouveau-Mexique représente un arbre impressionnant, un pin, *Le pin Lawrence* (ill. p.57). Pendant son séjour, l'artiste passe quelque temps au Kiowa Ranch, où D.H. Lawrence avait habité. Un jour qu'elle est couchée sur un banc de bois, elle a l'idée de peindre un ciel nocturne parsemé d'étoiles à travers les branches de l'arbre. Formellement, la toile obéit à la loi de la bidimensionalité de l'art extrême-oriental, dont Dow s'était fait l'interprète: le tronc, les branches tortueuses et les épines sont réduits à une structure plate. La perspective inhabituelle intrigue et donne l'impression que l'arbre est en train de tomber. Pour bien voir la toile, il faudrait, comme le peintre, se coucher dessous.

Cette interprétation correspond à l'image «optiquement exacte» qui adopte l'optique photographique dans la perspective en diagonale extrême. Ici aussi, comme pour les toiles de gratte-ciel, le peintre aura peut-être songé à la technique photographique, qui produirait cette même sorte d'image. L'angle choisi par O'Keeffe souligne la taille, la majesté de l'arbre. La diagonale du tronc qui s'élève de droite à gauche mène le regard de bas en haut jusqu'aux étoiles. Qui plus est, la simplification rigoureuse des éléments de l'image évite la dispersion et permet un silencieux dialogue entre la toile et celui qui la regarde.

A partir de cette époque, O'Keeffe passe régulièrement une partie de l'année au Nouveau-Mexique. Son besoin de paix et de solitude, qu'elle éprouvera tout au long de sa vie d'artiste, la pousse à garder ses distances avec la colonie d'artistes qui, depuis la fin du 19ème siècle, s'est installée autour de Taos. A partir de 1931, elle commence à passer ses étés à l'ouest de Taos, dans la vallée du Rio Grande, où elle loue une petite maison au village d'Alcalde. Elle est surtout fascinée par la forme des collines de sable rouge et des sombres mesas qui semblent inatteignables.

Ce paysage austère lui offre toutes les couleurs dont elle a besoin pour sa peinture: «Toutes les couleurs qui servent à peindre le paysage sur la palette du peintre sont présentes ici, dans ces terres incultes. Il y a du jaune, depuis le clair jaune de Naples jusqu'aux ocres – il y a de l'orange, du rouge, du violet – il y a même des verts très doux.»

Pendant les années suivantes sa peinture ne parlera que des collines de sable rose et rouge, avec leurs formes arrondies (voir ill. p.68). En 1939, elle explique ainsi son amour pour cette configuration typique du Nouveau-Mexique: «Une colline rouge ne touche pas tous les cœurs comme elle touche le mien et je ne vois pas pourquoi il en serait autrement. La colline rouge, c'est les ‹Badlands›, un lieu où même l'herbe ne pousse plus. Les ‹Badlands› commencent à ma porte et s'étendent à perte de vue, colline après colline. Ils semblent faits de la même terre que celle que l'on mêle à l'huile pour obtenir de la couleur (...) Les collines de nos déserts, nos plus beaux paysages, je trouve, n'inspirent pas tout le monde, contrairement aux fleurs. Sans doute ne les avez-vous jamais vues et souhaiteriez-vous que je continue à peindre des fleurs...»

De retour de son second ou troisième séjour au Nouveau-Mexique, O'Keeffe rapporte sur la côte Est des os, des crânes de bovins et d'animaux sauvages qu'elle a ramassés dans le désert. Produits de cette nature qu'elle aime tant, ils sont pour elle comme les coquillages, les cailloux ou les fleurs: «J'ai toujours cueilli des fleurs, j'ai toujours ramassé

des coquillages, des cailloux ou des morceaux de bois qui me plaisaient... Lorsque j'ai trouvé ces merveilleux os blancs, dans le désert, je les ai ramassés aussi et je les ai rapportés chez moi... Toutes ces choses m'ont servi à dire mon émerveillement devant ce vaste monde dans lequel je vis.»

Dans son portrait en buste de Georgia O'Keeffe, Alfred Stieglitz illustre le rapport, souvent jugé étrange, de l'artiste à ses «trophées» du désert (ill. p. 58). Les ossements qui, les années suivantes, deviennent le thème récurrent de ses toiles, évoquent pour les critiques des idées de mort et de résurrection. Pourtant, pour O'Keeffe, ces os blanchis par le soleil sont extrêmement vivants: «On dirait que les os nous ouvrent un passage jusqu'au cœur d'une vie très intense, mais aussi immense, vide, intouchable et, malgré toute sa beauté, absolument étrangère à toute douceur.»

L'idée originale de l'artiste de combiner des crânes et ces fleurs de tissu que les Espagnols du Nouveau-Mexique mettaient sur les tombes de leurs morts, donne à certaines toiles, *Crâne de vache avec rose en calicot* (ill. p. 59), par exemple, une ambiance irréelle, presque mystique. Si cette composition participe du surréalisme, ce que le poète Lautréamont a décrit comme «la rencontre fortuite sur une table de dissection d'un parapluie

Le pin Lawrence, 1929
The Lawrence Tree
Huile sur toile, 78,9 x 99,5 cm
Hartford (CT), Wadsworth Atheneum, The Ella Gallup Sumner and Mary Catlin Sumner Collection

ILLUSTRATION PAGE 58:
Alfred Stieglitz
Georgia O'Keeffe: portrait – avec crâne de vache, 1931
Georgia O'Keeffe: A Portrait – with Cow Skull
Tirage à la gélatine d'argent
Washington (DC), Alfred Stieglitz Collection, © 1994 National Gallery of Art

ILLUSTRATION PAGE 59:
Crâne de vache avec rose en calicot, 1932
Cow's Skull with Calico Roses
Huile sur toile, 91,2 x 61 cm
Chicago (IL), The Art Institute of Chicago, Gift of Georgia O'Keeffe, 1947.712

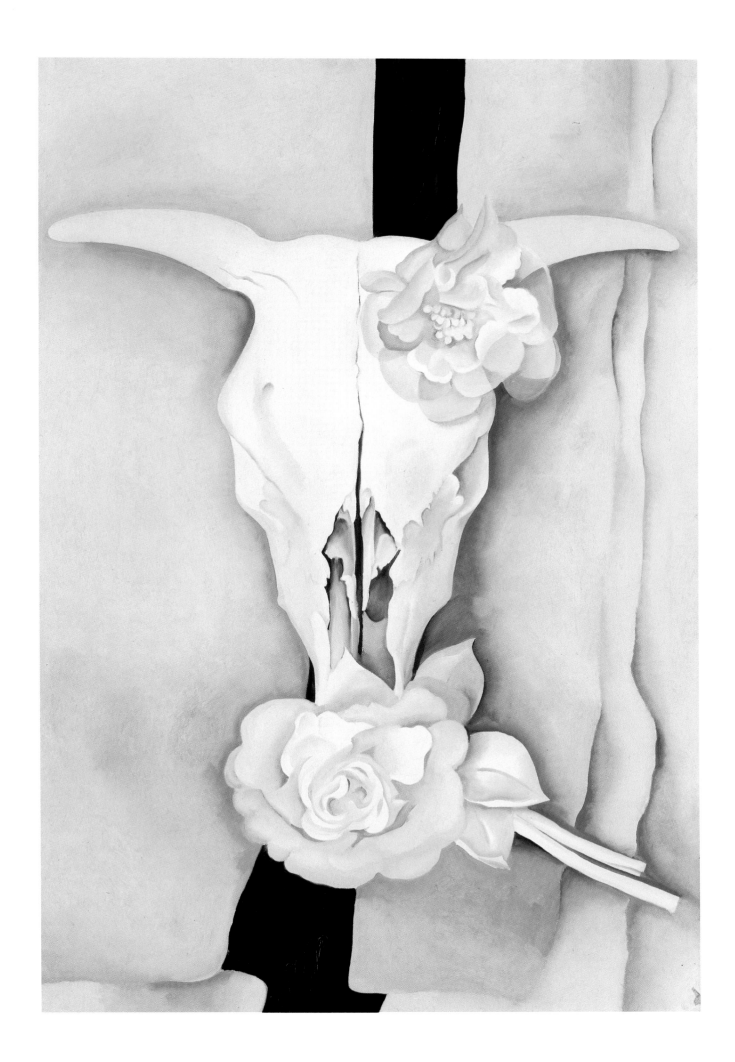

Le proche lointain, 1937
From the Faraway Nearby
Huile sur toile, 91,4 x 101,9 cm
New York, The Metropolitan Museum of Art,
Alfred Stieglitz Collection, 1959

et d'une machine à coudre», elle peut aussi être vue comme une expression de la réalité. Les photographies de Stieglitz qui représentent les mains de O'Keeffe posées à plat sur un crâne de vache dévoilent cet aspect fantastique de la réalité que le peintre aura fixé sur la toile non sans un intérêt décoratif et un certain sens de l'humour. Bien des années plus tard, O'Keeffe dira: «Souvent, une image me vient à l'esprit sans que j'aie la moindre idée d'où elle provient. Mais je suis beaucoup plus pragmatique qu'on le pense.»

Si le sujet est représenté dans le plus infime détail – les os sont un des thèmes les plus réalistes de l'œuvre – le fond des toiles apparaît plus mystérieux. Rideau coupé en deux, dissimulant une autre réalité? Ou bien matière très ténue, évoquant par sa couleur et sa structure le sable du désert? Pendant les années 30, Georgia connaît un succès, une reconnaissance toujours plus grands. Dès 1927 a lieu une première exposition au Brooklyn Museum, à New York. Son travail lui vaut à la fois l'achat d'une toile par le Metropolitan Museum of Art, un titre de docteur honoris causa et une citation parmi les douze femmes les plus prestigieuses des cinquante dernières années. En 1932, O'Keeffe accepte, en plus d'autres commandes publiques, de créer une fresque pour le nouvel immeuble de Radio City Music. Passant outre l'opposition de Stieglitz, toujours contre toute commercialisation de l'art, O'Keeffe se met au travail. Des difficultés techniques la contraignent assez vite à abandonner le projet. Une dépression et, au début de l'année suivante, une grave crise névrotique viennent sanctionner les tensions incessantes qui pèsent sur ses rapports avec Stieglitz. Georgia O'Keeffe cesse de peindre pendant un an et ne retournera au Nouveau-Mexique qu'en 1934.

C'est grâce à un ami qu'en été 1934 elle trouve, sur un haut plateau situé plus au nord, ouvert sur des falaises abruptes et sur les collines creusées par les eaux de la Chama River Valley, le paysage qui lui correspond le mieux. Elle habite tout d'abord une ancienne ferme isolée, Ghost Ranch, puis, en 1940, elle achète, à quelques kilomètres de là, Rancho de los Burros. Dotée d'un minimum de confort, avec son patio décoré de crânes d'animaux, ses collections de cailloux sur toutes les tables et étagères, cette maison, qui donne sur d'extraordinaires falaises rouges, comble tous ses désirs. Des artistes célèbres, des photographes, des collectionneurs et des comédiens viennent rendre visite à O'Keeffe à son nouveau domicile.

Stieglitz, qui abandonne la photographie en 1937, pour raisons de santé, et qui, l'année suivante, a une nouvelle crise cardiaque, souffre de ces longues périodes de séparation. Le couple échange des lettres quotidiennes qui témoignent de leur intimité affective et spirituelle. Ainsi O'Keeffe écrit-elle à Stieglitz en 1937: «Tu as l'air bien seul, là-bas, sur ta colline. Cela me donne envie de passer un moment avec toi – il me semble que

Collines – Lavande, Ghost Ranch, Nouveau-Mexique II, 1935
Hills – Lavender, Ghost Ranch, New Mexico II
Huile sur toile, 20,3 x 33,7 cm
St. Louis (MO), Mr. and Mrs. George K. Conant III

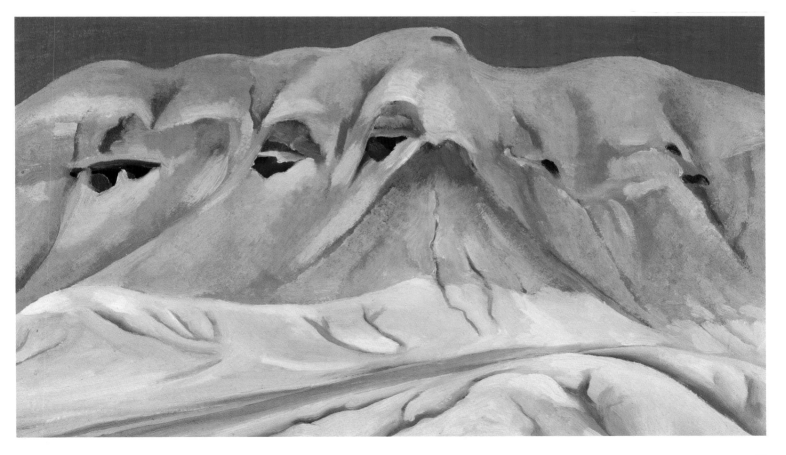

cette part de moi qui compte pour toi est à tes côtés – même si je suis loin.»

Il existe une variante de ces toiles des années 30, vues de déserts combinant des ossements épars et des éléments de paysage. Dans *Jours d'été* (ill. p. 54), une des œuvres majeures de cette époque, un crâne de cerf gigantesque dont les bois effleurent les bords de la toile, plane au-dessus de collines désertiques. Représenté de face, il attire les regards. Des fleurs sauvages émergent de la lumière vaporeuse et brillante du désert. Derrière les montagnes, un orage menace alors même que le ciel, au premier plan, est celui d'une belle journée d'été. Le peintre aura sans doute voulu évoquer les brusques changements de temps typiques du Nouveau-Mexique. Chaque composante de l'image a son existence propre et, obéissant à une perspective individuelle, doit être perçue séparément. Chacune pourrait être à l'origine d'une toile nouvelle, tant elle est minutieusement analysée. C'est sur la beauté objective qu'insiste le peintre, plutôt que sur les moyens picturaux. Bien qu'élaborée de façon réaliste, l'image flotte entre espace et temps. Avec son ambiance méditative et le traitement individuel de chaque élément, *Jours d'été* est, par sa structure, plus proche d'une nature morte que d'un paysage.

Dans la toile *Le proche lointain* (ill. p. 60), qui date de 1937, le peintre va plus loin encore: un énorme crâne de cerf, dont les bois occupent tout l'espace se superpose au paysage de montagnes désertiques, éliminant ainsi le plan médian. La composition donne à la toile un caractère encore plus surréaliste, presque fantastique. C'est sans doute pendant un voyage

Ansel Adams
Georgia O'Keeffe dans sa voiture, Ghost Ranch, Nouveau-Mexique, 1937
Photographie
Carmel, Photographie de Ansel Adams

Ce cliché de Ansel Adams, pris en 1937 lors d'une visite au Ghost Ranch, montre le peintre dans sa Ford modèle A, travaillant à une version de *L'arbre de Gerald*. Adams avait fait connaissance d'Alfred Stieglitz en 1933. Il photographiera souvent le couple.

ILLUSTRATION PAGE 62:
L'arbre de Gerald I, 1937
Gerald's Tree I
Huile sur toile, 101,6 x 76,2 cm
Abiquiu (NM), The Georgia O'Keeffe Foundation

Kurt Severin
Georgia O'Keeffe devant une toile peinte
pour le salon de Elizabeth Arden, 1937
Photographie
New York, LIFE MAGAZINE
© 1985 Time Warner

ILLUSTRATION PAGE 65:
Deux fleurs de datura, 1938
Two Jimson Weeds
Huile sur toile, 91,4 x 76,2cm
Santa Fé (NM), Private Collection, Courtesy of
Gerald Peters Gallery

au Colorado avec son ami photographe Ansel Adams dont elle a fait la connaissance en 1929 que O'Keeffe a eu l'idée de ce tableau. Il se fait l'écho des réflexions de Adams sur les similitudes qui existent entre les caractéristiques du désert et les possibilités techniques d'un objectif. «Ciel et terre sont si immenses, écrit-il à Stieglitz, et tout est vu en un tel détail que, où que l'on se trouve, on est isolé dans un monde lumineux entre l'infiniment grand et l'infiniment petit. Un monde où les pendules sont arrêtées depuis longtemps.»

Les toiles de O'Keeffe rendent de façon admirable l'ambiance du désert du Nouveau-Mexique, le romantisme de ses espaces immenses et de ses microcosmes. La coexistence du proche et du lointain dans ses toiles évoque le «réalisme photographique», celui-là même qui, des années auparavant, lui avait sans doute inspiré des œuvres comme *Coupe rose et feuilles vertes* (ill. p.49). Ces techniques optiques, qui permettent de combiner des éléments sur des plans différents, ont probablement joué un rôle dans ces compositions qui lui ont permis de parler si éloquemment de «ce vaste monde» dans lequel elle vivait.

Comme aucun autre artiste avant elle, elle a capté dans ses toiles cette région, d'Espagnola à Abiquiu, qu'elle connaissait si parfaitement qu'on l'appelle aujourd'hui «O'Keeffe Country». Dans sa grande Ford noire,

Arbre mort et colline rose, 1945
Dead Tree with Pink Hill
Huile sur toile, 77,2 x 102,2 cm
Cleveland (OH), © The Cleveland Museum of
Art, Bequest of Georgia O'Keeffe

*Rochers au-dessus d'Abiquiu, cascade
asséchée*, 1943
Cliffs Beyond Abiquiu, Dry Waterfall
Huile sur toile, 76,2 x 40,6 cm
Cleveland (OH), © The Cleveland Museum
of Art

Malcolm Varon
Vue sur le fleuve Chama et montagnes à l'arrière-plan, en direction du nord entre Abiquiu et Ghost Ranch, 1976
Photographie
N.Y.C., Photo by: Malcolm Varon, © 1994

suffisamment vaste pour lui servir d'atelier et l'abriter de la chaleur et des soudaines ondées, l'artiste explore des lieux éloignés, comme ce *Site noir I* (ill. p. 69), à environ 150 miles du Ghost Ranch, avec ses collines noires entourées de sables blancs. Les reliefs, comme jadis les fleurs de ses tableaux, occupent souvent tout l'espace de la toile. Chaque fragment de paysage, représenté en premier plan, hors contexte, sans horizon pour le définir demande à être mentalement complété par celui qui regarde. O'Keeffe réussit ainsi à exprimer en une seule image la grandeur, la noblesse du paysage du Nouveau-Mexique. La sensualité des collines arrondies est rendue à coups de brosse épais, réguliers, presque invisibles, référence subtile à une caractéristique de ce paysage dont la lumière blanche, cristalline a tendance à faire ressortir contours et aplats et à créer l'illusion que les arrière-plans sont tout proches. Creux et gorges sont traités comme les plis et les courbes du corps humain. Tout au long de sa carrière, O'Keeffe a eu recours à des formes récurrentes: le thème de la vague ou de la ligne brisée se retrouve, en différentes versions, dans toute son œuvre, tout comme les symboles du cercle et de la spirale. Chaque toile semble exprimer et réunir la géométrie mystérieuse

Petites collines violettes, 1934
Small Purple Hills
Huile sur carton, 40,6 x 50,2 cm
© June O'Keeffe Sebring

EN HAUT:
Site noir I, 1944
Black Place I
Huile sur toile, 66 x 76,6 cm
San Francisco (CA), San Francisco Museum of
Modern Art, Gift of Charlotte Mack

Collines grises, 1942
Grey Hills
Huile sur toile, 50,8 x 76,2 cm
Indianapolis (IN), Indianapolis Museum of Art,
Gift of Mr. and Mrs. James W. Fesler

Pelvis, au fond, le Pedernal, 1943
Pelvis with Pedernal
Huile sur toile, 40,6 x 55,9 cm
Utica (NY), Munson-Williams-Proctor Institute,
Museum of Art

des formes naturelles en d'harmonieuses compositions sans cesse renouvelées. Ainsi Georgia O'Keeffe explique-t-elle son besoin de parler des «choses profondes»:

«Il me semble qu'une forme véritablement vivante est le résultat naturel des efforts d'un individu pour créer du vivant à partir d'un voyage spirituel dans l'inconnu – là où l'individu a vécu quelque chose, ou senti des choses qu'il n'a pas comprises – et, de cette expérience naît le désir de transformer l'inconnu en connu, de clarifier quelque chose qu'il ressent mais ne comprend pas clairement. (...) D'une certaine façon, je crois que chacun naît avec une vision très claire mais que, pour la plupart des gens, elle est détruite.» Il semble qu'en passant par cette «trame» qui existe en toute chose: fleur, montagne, nuage et cours d'eau, l'artiste ait approché ce secret qu'on pourrait appeler l'unité de la création, l'harmonie entre toutes les créatures de la terre.

ILLUSTRATION PAGE 71:
Pelvis III, 1944
Pelvis III
Huile sur toile, 121,9 x 101,6 cm
Collection of Calvin Klein

«(...) Lorsque j'ai commencé à peindre les pelvis, ce qui m'intéressait le plus, c'était les vides des os – ce que l'on voyait à travers eux – et surtout le bleu qui apparaissait quand on les tenait en l'air dans le soleil, ce que l'on fait volontiers dans un pays où il semble y avoir plus de ciel que de terre.»
GEORGIA O'KEEFFE

Abiquiu: la porte du patio

Au printemps 1946, le Museum of Modern Art, à New York, consacre une rétrospective à Georgia O'Keeffe, rendant ainsi hommage pour la première fois à une femme peintre. En juillet, Stieglitz, âgé de 82 ans, a une grave crise cardiaque et O'Keeffe qui, comme tous les étés, se trouve au Nouveau-Mexique, le rejoint quelques jours avant sa mort. Au cours des longues années passées avec lui, elle a appris à connaître bien des facettes de sa personnalité. Plus tard, elle dira: «Aujourd'hui, comme jadis, je suis consciente que nos trente ans de vie commune m'ont permis mieux que quiconque de le connaître – de connaître ce qui était chez lui le meilleur, et le pire. (…) Je pense que si je suis restée avec lui c'est à cause du travail – et pourtant, j'ai aimé l'homme en lui.»

Pendant les années suivantes, O'Keeffe passe la plus grande partie de son temps à New York, où elle se consacre à la tâche considérable de gérer la collection laissée par Stieglitz et de la répartir entre les différentes institutions américaines. Pendant toute cette période, elle peindra peu. Au Nouveau-Mexique, elle travaille surtout à la reconstruction d'une ruine en adobe qu'elle a acquise en 1945, à Abiquiu, un village situé à quelques miles de Ghost Ranch. La raison qui lui a fait choisir cette maison est un jardin, qui se trouve sur son terrain, et où elle veut faire pousser des légumes. Les travaux achevés, O'Keeffe s'installe définitivement, en 1949, au Nouveau-Mexique. Elle passe l'été au Ghost Ranch et l'hiver à Abiquiu.

Les toiles des années 40, dans lesquelles une seule forme domine l'ensemble de l'espace pictural, témoignent d'un changement de style. Elles sont une nouvelle vision de ce paysage qui est devenu celui de l'artiste. Elles représentent des os d'animaux du désert blanchis par le soleil dont les ouvertures, comme par exemple dans *Pelvis III,* 1944 (ill. p. 71), s'ouvrent sur un ciel d'azur. Une nouvelle tendance s'exprime, faite de simplicité et de clarté. O'Keeffe aime par dessus tout le bleu fort du ciel du Nouveau-Mexique qui, à présent, occupe une place nettement plus importante dans sa peinture: «(…) Lorsque j'ai commencé à peindre les pelvis, ce qui m'intéressait le plus, c'était les vides des os – ce que l'on voyait à travers eux – et surtout le bleu qui apparaissait quand on les tenait en l'air dans le soleil, ce que l'on fait volontiers dans un pays où il semble y avoir plus de ciel que de terre… C'est sur du bleu qu'ils étaient le plus beaux, ce bleu qui sera encore là quand l'homme en aura fini avec sa destruction.»

Les os sur lesquels elle travaille en 1943 sont peints en grand format et en gros plan, ce qui rend le sujet si abstrait qu'il n'est plus qu'un cadre ovale ouvert au milieu de la toile. La peinture de cette époque nous ren-

Josephine B. Marks
Georgia O'Keeffe et Alfred Stieglitz, Lake George, vers 1938
Photographie, publié dans: «Stieglitz: A Memoir/Biography» by Sue Davidson Lowe. New York: Farrar Strauß & Giroux, and United Kingdom: Quartet Books, 1983. Courtesy of Sue Davidson Lowe.

ILLUSTRATION PAGE 72:
Dans le patio I, 1946
In the Patio I
Huile sur toile montée sur carton. 76,2 x 61 cm
San Diego (CA), San Diego Museum of Art, Gift of Mr. and Mrs. Norton S. Walbridge

John Loengard
Georgia O'Keeffe sur le toit de Ghost Ranch, 1966
Photographie
New York, LIFE MAGAZINE
© 1966 Time Warner

Joan Miró
Chien aboyant à la lune, 1926
Huile sur toile, 73 x 92 cm
Philadelphie (PA), Philadelphia Museum of Art:
A.E. Gallatin Collection

ILLUSTRATION PAGE 81:
Echelle menant à la lune, 1958
Ladder to the Moon
Huile sur toile, 101,6 x 76,2 cm
New York, Collection Emily Fisher Landau

début des années 50, elle voyage pour la première fois au-delà des frontières des Etats-Unis. En 1951, en compagnie de l'écrivain Spud Johnson, elle se rend au Mexique et rencontre à Mexico Diego Rivera et Frida Kahlo.

Avec Miguel Covarrubias, qui, en 1929, avait fait son portrait en *Notre Dame du Lis* (ill. p. 32), elle visite les cités Mayas de Yucatan et de Oaxaca, qui sera son lieu de prédilection au Mexique. Elle, dont l'évolution artistique s'est faite hors des courants européens, se rend pour la première fois en Europe et, en 1953, visite l'Espagne et la France. Les toiles de Goya, au Museo del Prado, à Madrid, l'enthousiasment autant que celles des peintres orientaux. Se sentant plus proche des peuples de langue espagnole, elle privilégiera dans ses voyages le Mexique, le Pérou, où elle se rend en 1956, et l'Espagne.

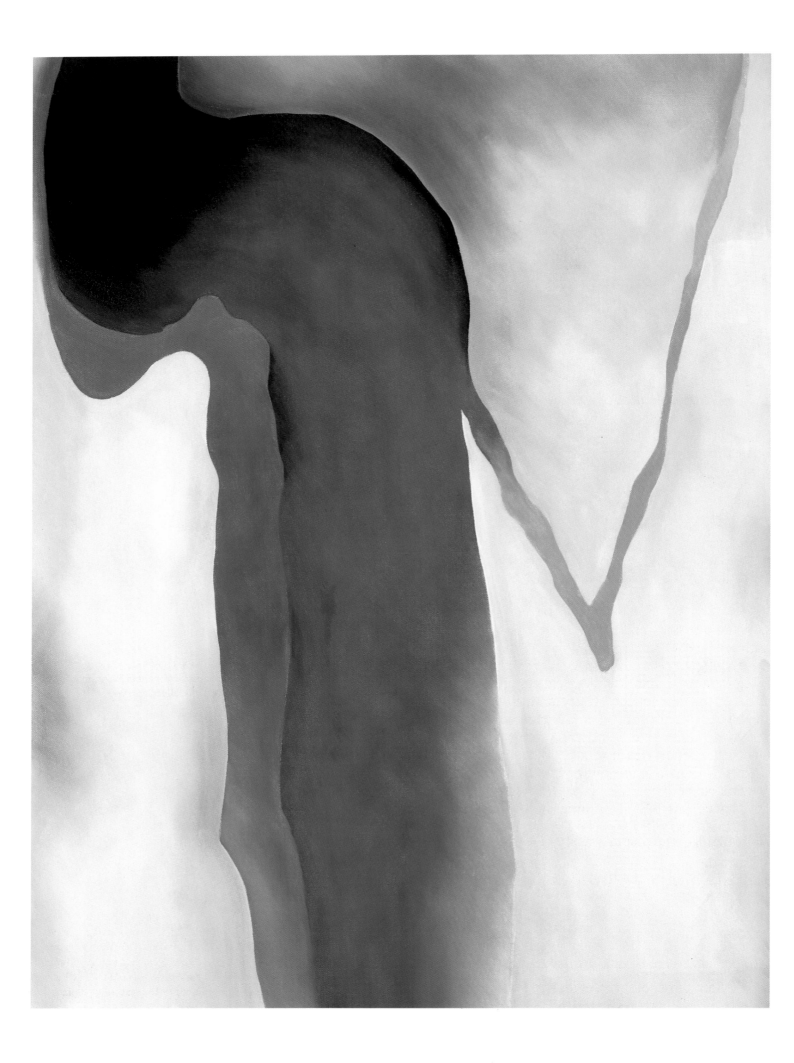

L'immensité de l'espace

La période des grands voyages, qui commence pour Georgia O'Keeffe en 1951, atteint un sommet en 1959 avec un tour du monde de trois mois et demi. A 71 ans, l'artiste visite l'Inde, l'Asie du Sud et du Sud-Est, le Pakistan, le Moyen-Orient et l'Italie. L'année suivante, c'est le Japon, Taiwan, Hong Kong, le Cambodge puis les Philippines et les îles du Pacifique. Les longues heures passées en avion sont à l'origine d'un thème nouveau: les cours d'eau, vus du ciel, serpentant à travers des régions désertiques. L'artiste inaugure ces séries en 1959 par des esquisses au crayon et des dessins monochromes au fusain. Plus tard, elle réalisera des peintures à l'huile dans différentes variations de couleurs: *C'était rouge et rose*, 1959 (ill. p. 85), *C'était bleu et vert*, 1960 (ill. p. 84) ou *Bleu, noir et gris*, 1960 (ill. p. 82). Ici, une fois encore, elle exprime sa fascination pour le «surréalisme» de la réalité.

Ces tableaux déconcertent: dans ce genre de perspective directe, ils se soustraient en effet à tout examen dans l'axe visuel habituel, c'est à dire horizontal. En l'absence de toute perspective centrale, ils donnent une illusion de profondeur mais non d'éloignement. Lors de leur exposition à la Downtown Gallery, O'Keeffe constate avec satisfaction qu'elle n'est pas seule à voir les choses ainsi: «A l'époque mon marchand était encore Edith Halpert et elle se demandait ce que représentaient les toiles. Des arbres, peut-être, pensait-elle. Qu'elle y voit des arbres ou autre chose m'était égal. Pour moi, c'était simplement des formes. Mais un jour, j'entendis à l'exposition de Halpert un homme qui disait: ‹Ce doit être des rivières vues d'en haut.› J'étais contente que quelqu'un ait vu ce que j'avais vu et en ait gardé le même souvenir que moi.»

Plus tard, au cours des années 60, des montagnes de nuages vus d'avion inspirent à O'Keeffe une autre série de toiles. «Un jour que je retournais en avion au Nouveau-Mexique, le ciel, au-dessous de nous, était d'un beau blanc épais. J'avais l'impression que c'était si solide que, si la porte de l'avion s'ouvrait, j'aurais pu marcher dessus jusqu'à l'horizon. Au-dessus, le ciel était bleu clair. C'était si beau que j'avais hâte d'arriver chez moi pour le peindre.»

Quatrième et dernière toile de cette série, *Ciel au-dessus des nuages IV* (ill. pp. 86–87), peinte par l'artiste à l'âge de 77 ans, est, avec ses 2m 50 de hauteur et 7m de long, la plus grande de tout son œuvre. Avec l'énergie et la volonté qui la caractérisent, O'Keeffe transforme en 1965 son garage de Ghost Ranch en atelier et, l'absence de chauffage exigeant que la toile soit finie avant l'hiver, travaille à ce projet de six heures du matin à neuf heures du soir. Sans se décourager, et malgré le danger constant que représentent les serpents, elle affronte les problèmes techniques dûs à la taille de la toile.

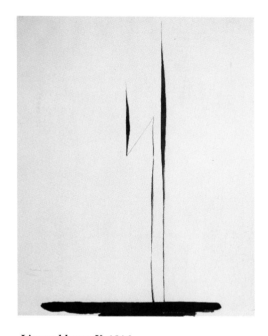

Lignes bleues X, 1916
Blue Lines X
Aquarelle, 63,5 x 48,3 cm
New York, The Metropolitan Museum of Art,
Alfred Stieglitz Collection, 1969

ILLUSTRATION PAGE 82:
Bleu, noir et gris, 1960
Blue, Black and Grey
Huile sur toile, 101,6 x 76,2 cm
Mr. and Mrs. Gilbert H. Kinney

La toile représente un cours d'eau vu d'avion, disait Georgia O'Keeffe. Mais c'est bien sûr aussi une composition abstraite, un exemple de plus de la vocation de la peinture à la pure bidimensionalité. La coexistence dans la toile de l'abstrait et du figuratif en fait une œuvre typiquement romantique.

C'était bleu et vert, 1960
It Was Blue and Green
Huile sur toile montée sur carton à dessin,
76,4 x 101,9 cm
New York, Collection of Whitney Museum of
American Art, Lawrence H. Bloedel. Bequest
77.1.37

Les petits nuages ovales de *Ciel au-dessus des nuages IV*, immense tapis blanc dérivant vers l'horizon, peuvent être vus comme une façon d'exprimer l'impalpabilité de l'atmosphère. Ici, le peintre revient au thème des rapports spatiaux qui sous-tend la série des patios. Pourtant c'est un désir d'immensité, d'universalité que suggèrent ces toiles.

Après les deux expositions du Worcester Art Museum, au Massachusetts et du Amon Carter Museum à Fort Worth, au Texas qui rendent hommage à l'œuvre des années 60, la grande rétrospective du Whitney Museum of American Art de New York marque un tournant dans les réactions du public. L'artiste y connaît un succès considérable, elle devient une sorte d'«icône» de l'art américain. Les critiques voient en elle un précurseur de la modernité, tant de l'expressionnisme abstrait que du champ coloré. Georgia O'Keeffe, elle, se sent particulièrement proche de Ellsworth Kelly dont les toiles et les sculptures minimalistes s'inspirent de formes naturelles, de la courbe élégante d'une colline, par exemple. «Il m'est arrivé de croire qu'une de ses œuvres était de moi, dit-elle en automne 1973. J'étais devant une toile de Kelly et, pendant un instant, j'ai vraiment cru que c'était moi qui l'avais peinte.»

Tout comme l'écrivain Anaïs Nin, O'Keeffe devient, dans la mouvance de l'époque, l'idole d'une nouvelle génération de féministes, le type même de la femme moderne, rebelle. Son œuvre lui vaut plusieurs distinc-

tions. En 1977 le président Gerald Ford lui remet la récompense suprême, la «Medal of Freedom». Pour ses 90 ans la télévision programme le film «Portrait of an Artist», tourné par Perry Miller Adato en 1975. Il illustre l'état de symbiose entre elle et le milieu dans lequel elle vit et éclaire, de manière extraordinaire, son union étroite avec le paysage du désert.
En 1971, sa vue baisse notablement. Autour d'elle le monde sombre dans le brouillard mais elle distingue encore des formes et des ombres. En 1973, un jeune céramiste, Juan Hamilton, apparaît dans la vie de O'Keeffe. Chacun à sa façon tire profit de la rencontre. O'Keeffe, dépendante des autres comme elle ne l'a encore jamais été, apprécie l'attention et l'aide dont elle est l'objet. Hamilton l'encourage à continuer à peindre et elle se met à travailler l'argile. Soutenue par le jeune homme, elle reproduit à l'aquarelle et, avec l'aide d'un assistant, à la peinture à l'huile, les couleurs et les formes dont elle ne perçoit plus que les contours. De tous les jeunes artistes qui viennent la consulter, Hamilton est le seul avec qui elle partage son expérience.
Au cours des années suivantes Hamilton reste son unique assistant, l'aide à préparer ses expositions, à mettre au point ses articles et entreprend avec elle de nombreux voyages. Le dernier la mène, une fois encore, en 1983, à l'âge de 96 ans, sur la côte pacifique du Costa Rica. Pour des raisons de santé elle quitte en 1984 sa chère maison d'Abiquiu pour Santa

C'était rouge et rose, 1959
It Was Red and Pink
Huile sur toile, 76 x 101 cm
Milwaukee (WI), Milwaukee Art Museum,
Gift of Mrs. Harry Lynde Bradley

L'évolution de l'art de O'Keeffe vers l'abstraction se fit de façon logique et en accord avec les prises de position de son époque. Avec des artistes comme Barnett Newman, Mark Rothko, Adolph Gottlieb et Clifford Still, elle réunit les deux tendances de l'art américain du 20ème siècle: d'une part, la bidimensionalité intrinsèque de la peinture et d'autre part, la tradition romantique, avec son intense sentiment de la nature et son introspection.

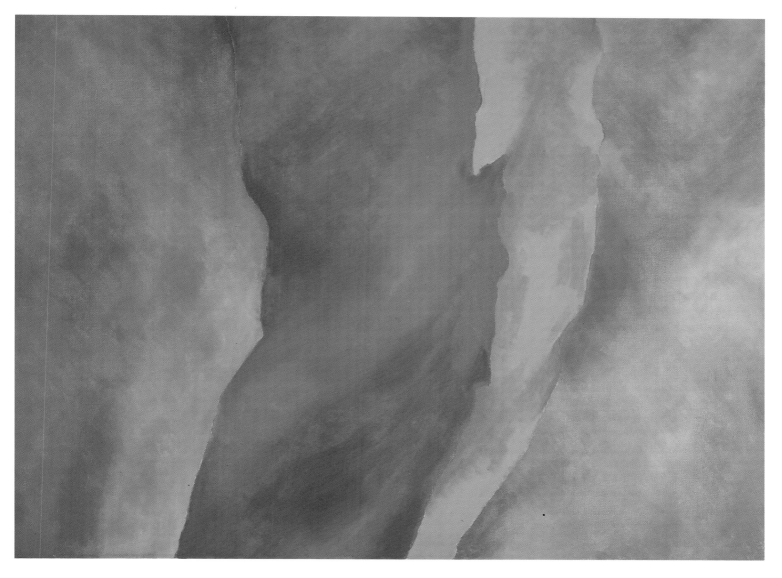

Dan Budnik
Georgia O'Keeffe dans l'atelier de poterie,
1975
Tirage à la gélatine d'argent
© 1975 Dan Budnik/Woodfin Camp/Focus

Sa vue ayant beaucoup baissé, Georgia O'Keeffe
rechercha d'autres formes d'expression et se mit
à travailler l'argile.

ILLUSTRATION PAGE 89:
Rocher noir avec du bleu III, 1970
Black Rock with Blue III
Huile sur toile, 50,8 x 43,2 cm
© Juan Hamilton

«Chaque fois que me vient une idée pour une
toile je me dis: comme c'est banal. Pourquoi
peindre ce malheureux rocher? Pourquoi ne pas
faire plutôt une promenade? Et puis je com-
prends que pour quelqu'un d'autre ce ne sera pas
banal.»
GEORGIA O'KEEFFE

Foundation, contribuera de façon décisive à la démythification de l'art
du peintre.
La vie de Georgia O'Keeffe était la peinture et c'est comme peintre
qu'elle voulait être perçue. Son art faisait un avec sa foi en la force éternelle de la nature qu'elle a traduite en nombreux paysages et natures
mortes. Elle a été sensible à certains courants artistiques de son époque et
la photographie, particulièrement, lui a permis d'élaborer une vision nouvelle des choses. Son idéal de beauté, fait d'harmonie, de justes propor-
tions, de simplicité, d'élégance, est aussi celui de l'art et de l'art de vivre
de l'Extrême-Orient, où chaque détail quotidien a son importance. Georgia O'Keeffe aimait par-dessus tout la peinture chinoise avec ses images
dont les vides invitent à la méditation. Son but n'était pas la peinture
pour la peinture.
Bien qu'au premier abord ses toiles semblent simples, seul un regard approfondi permet de les comprendre vraiment. Cette persistance à répéter
certains ornements, certaines formes, certains thèmes et à les reproduire
en différentes variations ou en les articulant différemment peut être com-
prise comme un désir de manifester cette harmonie divine qui unit toutes
les créatures terrestres.
L'art de Georgia O'Keeffe et sa personnalité sont inséparables. La simplicité, la clarté, la poésie de sa peinture se retrouvent à l'identique dans ses
autres moyens d'expression. Cette façon d'être si intensément «elle-
même» était pour une part dans le mythe qui l'entourait. Ainsi que le dit

Etoile du soir n° VI, 1917
Evening Star No. VI
Aquarelle, 22,9 x 30,5 cm
Private Collection

«Parmi les peintures de Georgia O'Keeffe qui confèrent aux phénomènes naturels une forme presque emblématique, l'aquarelle *Etoile du soir* de 1917, qui rend de façon symbolique la polarité entre la terre et l'astre rayonnant. On a le sentiment d'une nature à l'état primitif, où lumière et couleur sont encore à l'état liquide, non encore durcies en matière et éléments concrets.»
ROBERT ROSENBLUM, «Peinture moderne et tradition romantique», 1975

Malcolm Varon
Resserre à outils, Abiquiu, 1976
Photographie
N.Y.C., Photo by: Malcolm Varon, © 1994

son ami Ansel Adams trois ans avant sa mort: «Il y a toujours quelque chose en elle que j'appellerais le mythe. C'est inévitable. Elle est O'Keeffe, tout simplement. Elle porte certains vêtements, elle se conduit d'une certaine façon. C'est une très grande artiste. Personne ne peut regarder une de ses toiles sans être profondément touché. C'est ainsi que se fait le mystère, et qu'il perdure.»

Malcolm Varon
Georgia O'Keeffe à l'âge de quatre-vingt-dix ans, 1977
Photographie
N.Y.C., Photo by: Malcolm Varon, © 1994

Georgia O'Keeffe – Vie et œuvre

1887 Naissance le 15 novembre de Georgia O'Keeffe, fille cadette de Francis Calyxtus O'Keeffe, agriculteur, et de sa femme Ida Totto O'Keeffe, près de Sun Prairie, Wisconsin.

1903 Georgia et sa famille, qui ont quitté le Wisconsin l'année précédente, s'installent à Williamsburg, Virginie; Georgia fait toute sa scolarité au Chatham Episcopal Institute à Chatham, Virginie.

1905 Début des études à l'Art Institute de Chicago.

1907 Après un grave typhus, elle continue ses études à l'Art Students League à New York.

1908 Elle se rend pour la première fois à la galerie «291» d'Alfred Stieglitz où elle voit des dessins de nu de Rodin. Elle gagne le concours de la meilleure aquarelle de la classe et une bourse pour la League Outdoor School à Lake George, New York. Sa famille connaît des difficultés financières et, à l'automne, elle doit se mettre à travailler comme graphiste à Chicago.

1910 A la suite d'une rougeole elle souffre des yeux et doit renoncer à son travail.

1912 A l'Université de Virginie, Alon Bement, un élève de A. W. Dow, lui révèle de nouvelles possibilités artistiques. Sur sa proposition, elle va enseigner à l'Université tous les étés jusqu'en 1916. Pour acquérir les notions de pédagogie nécessaires elle travaille pendant deux ans comme assistante à Amarillo, Texas.

1914 Au printemps, sur la recommandation de Bement, Georgia O'Keeffe devient l'élève de A. W. Dow au Teachers College de l'Université de Columbia, New York City; elle suit les expositions de la galerie «291». Elle entre au National Woman's Party.

Rufus Holsinger
Georgia O'Keeffe à l'Université de Virginie, 1915

1915 Depuis la fin de l'année elle enseigne au Columbia College, Caroline du sud.

1916 Ses dessins au fusain, réalisés en Caroline du Sud, sont exposés en mai à la galerie de Stieglitz. A l'automne elle devient directrice du département d'arts plastiques au West Texas State Normal College à Canyon où, en 1917, elle enseigne aussi.

1917 Stieglitz lui consacre une exposition de dessins au fusain et d'aquarelles au «291» et fait d'elle les premiers des quelque 300 portraits photographiques que nous connaissons. A l'automne elle se rend au Colorado avec sa sœur et voit pour la première fois le paysage du Nouveau-Mexique qui la fascinera toute sa vie.

1918 Le soutien financier de Stieglitz lui permet de se consacrer à la peinture et elle s'installe à New York. Pendant les années sui-

vantes, le couple passe une partie de l'année dans la maison de campagne de la famille de Stieglitz à Lake George et les mois d'hiver à New York City.

1923 Au début de l'année, première grande exposition en solo comprenant 100 toiles aux Anderson Galleries de Stieglitz à New York.

1924 Aux Anderson Galleries, 51 toiles de O'Keeffe sont exposées parallèlement à 61 photographies de Stieglitz. Georgia O'Keeffe et Alfred Stieglitz se marient le 11 décembre.

1925 Les fleurs de O'Keeffe sont montrées au public pour la première fois, en même temps que des œuvres d'autres artistes de l'entourage de Stieglitz, lors de l'exposition «Seven Americans».

1926 Comme elle l'a fait en 1920 et le fera en 1928, elle rompt le rythme Lake George/New York et part seule pour York Beach, Maine. Jusqu'en 1930 inclus, ses nouvelles toiles seront exposées à l'Intimate Gallery, ouverte par Stieglitz à la fin de 1925, sur la Park Avenue.

1927 En juin, première petite rétrospective de son œuvre au Brooklyn Museum à New York. Elle se remet difficilement de deux opérations du sein subies en juin et en décembre.

1929 Invitée par Mabel Dodge Luhan, elle part en avril pour le Nouveau-Mexique et, à partir de cette date, y passera tous les étés.

1930 Ses œuvres inspirées par le sud-ouest américain sont exposées une fois par an à la nouvelle galerie de Stieglitz «An American Place» jusqu'à la fermeture de celle-ci, en 1950.

1932 Elle peint au Canada avec Georgia Engelhardt. En novembre une dépression nerveuse la contraint à s'arrêter de peindre pendant un certain temps.

Georgia O'Keeffe en Grèce, 1963

1933 Elle entre en février à l'hôpital. Le diagnostic est «psycho-névrose». Elle ira ensuite se reposer aux Bermudes.

1934 Le Metropolitan Museum achète pour la première fois une de ses peintures. Premier été au «Ghost Ranch», Nouveau-Mexique, où elle achètera en 1940 une maison et un terrain.

1939 Sur invitation de la Dole Pineapple Company elle part à Hawaï pour réaliser un projet publicitaire. Le New York World's Fair Tomorrow Committee la désigne comme une des douze femmes les plus remarquables des 50 dernières années.

1943 L'Art Institute de Chicago consacre à son œuvre une première grande exposition.

1945 Elle achète une ruine en adobe à Abiquiu, village traditionnel non loin du «Ghost Ranch» et passe les trois années suivantes à la reconstruire entièrement.

1946 En mai, le Museum of Modern Art de New York organise une rétrospective Georgia O'Keeffe. C'est la première exposition consacrée exclusivement à une femme. Le 13 juillet Stieglitz meurt à l'âge de 82 ans.

1949 Après avoir réglé la succession et réparti les collections d'Alfred Stieglitz entre diverses institutions, O'Keeffe s'installe définitivement au Nouveau-Mexique.

1952 O'Keeffe confie à la Downtown Gallery, à New York, la représentation de son œuvre.

1953 A 66 ans elle se rend pour la première fois en Europe, visite la France et l'Espagne où elle retournera en 1954.

1956 Elle passe trois mois au Pérou et dans les Andes où elle visite les anciennes cités incas.

1959 Elle entreprend un tour du monde de trois mois dont les sept semaines passées en Inde sont le moment fort.

1960 Le Worcester Art Museum, Massachusetts lui consacre – comme le fera, en 1966, l'Amon Carter Museum à Fort Worth, Texas – une rétrospective. Elle se rend, entre autre, au Japon et dans les îles du sud-est du Pacifique.

1961 Elle descend la Colorado River sur un radeau avec des amis. Elle refera l'expérience en 1969 et 1970.

1962 Aux nombreuses distinctions obtenues dès 1938 et surtout dans les années 60 et 70 s'ajoute sa nomination à l'American Academy of Arts and Letters qui regroupe les artistes américains les plus prestigieux.

1963 Ses voyages la conduisent en Grèce, en Egypte et au Moyen-Orient.

1970 La rétrospective de son œuvre au Whitney Museum of American Art, la plus importante à cette date, la fait connaître à la jeune génération.

1971 Sa vue baisse beaucoup.

1973 Encouragée par son jeune assistant, Juan Hamilton, elle découvre le travail de l'argile. C'est avec Hamilton qu'elle ira, en 1983, au Maroc, à Antigua, au Guatemala, au Costa Rica et à Hawaï.

1976 Le livre «Georgia O'Keeffe», conçu par l'artiste et accompagné d'un texte d'elle, paraît chez Viking Press.

1977 Un film de Perry Miller Adato sur Georgia O'Keeffe, «Portrait of an Artist» passe à la télévision américaine.

1978 Le Metropolitan Museum consacre une exposition à un portrait photographique d'elle par Alfred Stieglitz. O'Keeffe écrit la préface du catalogue.

1983 Son dernier voyage la mène sur la côte Pacifique du Costa Rica.

1986 Georgia O'Keeffe meurt le 6 mars à Santa Fé, à l'âge de 98 ans.

1987 La National Gallery of Art, à Washington, celèbre son centenaire par une grande exposition qui avait déjà été prévue de son vivant.

1989 Création de la «Georgia O'Keeffe Foundation» qui a pour mission de gérer la succession de l'artiste et l'œuvre qu'elle a laissée. Un catalogue raisonné est en préparation pour 1996.

Malcolm Varon: Vue de l'arrière de la maison, côté atelier, Abiquiu

94   <u>Malcolm Varon:</u> Georgia O'Keeffe à l'âge de quatre-vingt-dix ans à Ghost Ranch, Nouveau-Mexique, 1977

L'éditeur remercie les musées, les archives photographiques, les photographes et les collectionneurs qui ont bien voulu nous confier leurs documents reproduits aux pages suivantes:

Ben Blackwell: 69
Museum of Fine Arts, Boston, All rights reserved: 78
The Art Institute of Chicago, All rights reserved, Photograph © 1993: 14, 16, 47, 59, 86
Geoffrey Clements, New York: 8, 33
Efraim Lev-er, Milwaukee, 1993: 75
Copyright © Steve Sloman, 1989, New York: 54, 84
Joseph Szaszfai, New Haven: 19
Collection of the Center for Creative Photography, Tuscon: 88
Photograph by: Malcolm Varon, © 1987, N.Y.C.: 26, 36
Photograph by: Malcolm Varon, © 1994, N.Y.C.: 6, 8, 10, 11, 12, 13, 14, 15, 20, 22, 23, 25, 29, 30, 34, 37, 39, 41, 49, 50, 53, 57, 61, 62, 65, 67, 68, 69, 71, 81, 82, 89, 91, 93, 94
Holsinger Studio Collection, Special Collections Department, Manuscripts Division, University of Virginia Library, Charlottesville: 92
Copyright © The Georgia O'Keeffe Foundation, Abiquiu: 93 en haut

Dans la même collection:

- Arcimboldo
- Bosch
- Botticelli
- Bruegel
- Cézanne
- Chagall
- Christo
- Dalí
- Degas
- Delaunay
- Duchamp
- Ernst
- Gauguin
- van Gogh
- Grosz
- Hopper
- Kahlo
- Kandinsky
- Klee
- Klein
- Klimt
- Lempicka

- Lichtenstein
- Macke
- Magritte
- Marc
- Matisse
- Miró
- Monet
- Mondrian
- Munch
- O'Keeffe
- Picasso
- Redon
- Rembrandt
- Renoir
- Rousseau
- Schiele
- von Stuck
- Toulouse-Lautrec
- Turner
- Vermeer
- Warhol